afgeschreven

een onbekende man

Andreï Makine

Het leven van
een onbekende man

Vertaald uit het Frans door Jan Versteeg

DE GEUS

Gepubliceerd met steun van het Franse ministerie van
Buitenlandse Zaken, het Institut Français des Pays-Bas/Maison
Descartes en de BNP Paribas.

De vertaler ontving voor deze vertaling een werkbeurs van
het Nederlands Letterenfonds

Oorspronkelijke titel *La vie d'un homme inconnu*, verschenen
bij Éditions du Seuil
Oorspronkelijke tekst © Éditions du Seuil, 2009
Nederlandse vertaling © Jan Versteeg en De Geus BV, Breda 2012
Omslagontwerp Berry van Gerwen
Omslagillustratie © www.123rf.com/Jaroslaw Grudzinski
ISBN 978 90 445 1569 5
NUR 302

Wilt u het gratis magazine *Geuzennieuws* met informatie over onze
nieuwe uitgaven ontvangen, ga dan naar www.degeus.nl en meld u aan.

I

Op een avond maakten ze er een spel van om in een slee een besneeuwde heuvel af te dalen. De kou striemde hen in het gelaat, opstuivende sneeuw belemmerde het zicht en op het spannendste moment van de afdaling fluisterde de jongeman die achterin zat: 'Ik hou van je, Nadenka.' Door het brullen van de wind en het zoeven van de ijzers was dit gefluister nauwelijks verstaanbaar. Een bekentenis? Het loeien van de wervelwind? Hijgend, met bonzend hart, klauterden ze weer omhoog, suisden ze nog een keer de afgrond in en werd die met gedempte stem gefluisterde liefdesverklaring, meteen meegesleurd door de sneeuwstorm, nog een keer uitgesproken. Ik hou van je, Nadenka ...

Dekselse Tsjechov!* In zijn tijd kon je dit nog schrijven. Sjoetov ziet het tafereel weer voor zich: kou die je in een roes brengt, die twee schuchtere geliefden ... Nu zou er geroepen worden: wat een melodrama, zou men de draak steken met die 'braafheid'. Verschrikkelijk achterhaald. En toch werkt het! Hij beziet het als schrijver. Ja, je herkent de hand van Tsjechov: de kunst om, alsof er niets aan de hand is, een thema te redden dat bij een ander in iets zoetelijks ontaard zou zijn. Dat 'ik hou van je, Nadenka', versluierd door een werveling van sneeuw, dat werkt.

Hij glimlacht verbitterd, eraan gewend zijn momenten van geestdrift te wantrouwen. Het werkt dankzij deze fles

---

* Zie de Verantwoording achter in het boek.

whisky, denkt hij en hij schenkt zijn glas vol. En ook dankzij zijn eenzaamheid in een flat waar iemand voortaan zal ontbreken, die jonge Léa die morgen haar spullen komt halen, een stapel dozen naast de voordeur. Een grafsteen waaronder hoop op liefde ligt begraven.

Hij vermant zich, vreest de gemelijke inschikkelijkheid die hem maandenlang plaagde. Eenzaamheid? Een mooi cliché! Parijs is een stad vol eenlingen ... als je geen Hemmingway midden in de dolle jaren twintig bent. Nee, het mechaniekje van Tsjechov werkt, want er zit in zijn verhaal die zweefvlucht door de tijd: de beide geliefden gaan uiteen, verburgerlijken, krijgen kinderen, zien elkaar twintig jaar later terug in hetzelfde park en gaan lachend in een slee zitten. En alles herhaalt zich: opwaaiende sneeuw, vrolijke angst in de bochten, het schrille knarsen van de ijzers ... Op het moment dat ze het hardst gaan hoort de vrouw: 'Ik hou van je, Nadenka ...' maar dit gefluister is nog slechts een verre muziek die het geheim versluiert dat hij als jongeman verliefd was.

Inderdaad, heel eenvoudig en toch heel juist, heel veelzeggend! In die goede oude tijd konden ze nog zo schrijven. Zonder Freud, zonder postmodernisme, zonder op iedere bladzijde seks. En zonder zich te bekommeren om wat een gepommadeerd etterbakje er in een televisie-uitzending over zal zeggen. Daarom blijft het nog in de race. Tegenwoordig moet je anders schrijven ...

Sjoetov staat op, waggelt, buigt zich over Léa's spullen, pakt een boek, slaat het op een willekeurige plaats open, laat een boosaardig lachje horen. '... Het is geen rozengeur maar het ruikt naar speeksel dat, met een heel leger bacillen, van

7

de mond van de minnares in die van haar minnaar loopt, waarna de minnaar het doorgeeft aan zijn echtgenote, de echtgenote aan haar baby, de baby aan zijn tante, de tante, serveerster in een restaurant, aan haar klant in wiens soep ze heeft gespuugd, de klant aan zijn echtgenote, de echtgenote aan haar minnaar en van daar aan andere monden, zodat ieder van ons zit ondergedompeld in een zee van speeksel dat zich vermengt en van ons één grote speeksel slikkende mensenmassa, één grote natte en nauw verbonden menselijke gemeenschap maakt.'

Walgelijk ... Eigenlijk een complete geloofsbelijdenis. Onder woorden gebracht door een schrijver die door Léa wordt verafgood maar die door Sjoetov als een aanmatigende zeurkous wordt beschouwd. Daar staat Tsjechov ver vanaf. Tegenwoordig moet een hoofdpersoon een cynische zenuwpees zijn die haast heeft om ons van zijn onsmakelijke innerlijke roerselen op de hoogte te stellen. Want zijn ongeluk wordt veroorzaakt door zijn moeder die hem als een hond aan de lijn houdt zelfs nu hij, volwassen geworden, de liefde bedrijft. Zo sprak Léa's idool.

Als ik mijn moeder had gekend, denkt Sjoetov, zou ik het in mijn boeken eveneens over haar hebben gehad. Die gedachte doet zijn oudste herinnering bovenkomen: een kind ziet een deur dichtgaan, het weet niet wie er op dat moment vertrekt maar het heeft wel in de gaten dat het iemand is van wie het met heel zijn piepkleine persoontje dat nog niet kan praten houdt.

Aan de andere kant van de ruit, een meinacht en de geweldige opeenhoping van oude huizen op de helling van Ménilmontant. Hoe vaak heeft hij niet met Léa willen spreken over die daken in het maanlicht! Alsof ze met sneeuw bedekt waren. Hij vond geen beeld om van dat denkbeeldige wit een dichterlijke voorstelling te geven. Daken die door het maanlicht een parelmoeren glans hebben? Nee, dat is het niet. Wat doet het er trouwens toe om een mooie benaming te zoeken? Léa is vertrokken en dit 'duivenhok' (zoals ze deze als woning ingerichte zolder noemde) is een merkwaardig onderkomen geworden dat woningbureaus vaag karakteriseren als 'atypisch'. Sjoetov trekt een lang gezicht. Dat vinden ze mij waarschijnlijk ook. Atypisch …

Hoewel … Hij is juist helemaal het type man dat aan de kant wordt gezet door een jonge vrouw met de leeftijd van iemand die zijn dochter had kunnen zijn. Een verhaal voor een romannetje op z'n Frans, honderd bladzijden Parijse naaipartijtjes en depressieve aanvallen. Alles wat zijn liefde zou verdienen.

Hij hurkt neer in de hoek waar Léa's spullen bij elkaar staan. 'Nee, je bent geen mislukkeling', zei ze een keer tegen hem. 'Je bent ook niet verbitterd, zoals sommige Oost-Europese schrijvers. Ja, Cioran onder anderen. Je bent alleen maar ongelukkig. Zoals … iemand die … (ze zocht naar de juiste woorden en hij was haar waanzinnig dankbaar: ze heeft me begrepen, ik ben niet mislukt in mijn vak!), ja, je bent zoiets als een granaat die niet is ontploft en waar de vernietigende kracht nog in zit. Je bent een ontploffing die niet bij machte is een knal te laten horen!'

Nog nooit in zijn leven had iemand zo tot hem gesproken. Hij moest eerst vijftig worden, veel gelezen en gestudeerd hebben, ellende en snel voorbijgaande successen hebben gekend, in de oorlog zijn geweest en de dood nabij, voor een jonge Franse vrouw hem een verklaring gaf voor wat anderen als een mislukt leven beschouwden. 'Een ontploffing die niet bij machte is een knal te laten horen …' Eigenlijk is dat het lot van alle echte kunstenaars. Heel intelligent, dat meisje, die brave Léa. 'Mijn Léa …'

Trouwens, een grietje dat maar al te blij was met dit 'duivenhok' zolang ze geen onderdak had en dat nu vertrekt omdat ze een vent heeft opgeduikeld die haar in huis neemt. Een jonge meid die Parijs wil veroveren en Sjoetov de bons geeft, die ouwe gek die maniakaal naar een bijvoeglijk naamwoord zocht om het wit aan te duiden van door de maan verlichte daken.

'Ik hou van je, Nadenka …' Hij schenkt zich nog een whisky in en drinkt met de grijns van iemand die iets heeft ontdekt wat in zijn algemeenheid een smet op de aard van mensen werpt maar die, met de reactie van een schrijver, meteen ook zichzelf ziet en zijn eigen houding fout en overdreven vindt, nee, geen moeite doen om een kleine Cioran uit te hangen. Trouwens, voor wie? Niet langer beheerst door afkeer, krijgt zijn gezicht een zachtere uitdrukking, trekt er een waas voor zijn ogen. 'Ik hou van je, Nadenka …' Als dat verhaal nog werkt, denkt Sjoetov, komt het doordat ik ook zo'n soort liefde heb gekend. Dertig jaar … ja, ruim dertig jaar geleden.

Behalve dat het niet 's winters gebeurde, maar in het heldere licht van een goudgele herfst. Het begin van zijn studie in Leningrad en die vrouwengestalte op paden met de pittige geur van dorre bladeren. Een jong meisje van wie nu alleen nog maar vage omtrekken, een verre stem resten …

De telefoon gaat. Sjoetov worstelt om uit de diepe bank omhoog te komen en op te staan – een dronken zeeman op een scheepsdek. De hoop Léa te horen maakt hem in één klap nuchter. In zijn ongeordende gedachten stelt hij zich al een reeks verontschuldigingen, stappen terug voor die de mogelijkheid bieden om de betrekkingen te herstellen. Hij neemt op, maar het rinkelen gaat door tot hij aan de andere kant van de muur een verdragende mannenstem hoort: zijn buurman, een Australische student, die vaak 's nachts door zijn vrienden aan de andere kant van de wereld wordt gebeld. Sinds Léa vertrokken is, staat het gehoor van Sjoetov voortdurend op scherp (de telefoon, voetstappen op de trap), ondanks het feit dat de geluiden op zijn zolder nauwelijks worden gedempt. De buurman lacht opgewekt en spontaan. Een jonge Australiër met mooie witte tanden te zijn en op een zolder in Parijs te wonen. Een droom!

Voor hij zich weer diep in de bank laat wegzakken, maakt hij een omweg langs de plek waar Léa's dozen staan. Er zit ook een tas met haar kleren bij. Die zijden bloes die hij haar cadeau had gedaan ... Een keer gingen ze in de buurt van Cassis in zee zwemmen, na afloop kleedde ze zich weer aan en gooide met een plotselinge beweging haar haar naar achteren om een knot te maken, haar natte krullen lieten op de zijden stof een verzameling als het ware met de hand getekende arabesken achter ... Hij is niets vergeten, de domkop. En deze herinneringen grijpen hem erg aan. Nee, ze slaan eerder op de ogen (noteren: het verdriet slaat op de ogen en maakt het onmogelijk nog langer de vrouw te zien die je heeft verlaten).

Ach, schei toch uit met die ogen! Altijd die hebbelijkheid

van hem om de mooischrijver uit te hangen. De les is veel simpeler: een jonge vrouw die breekt met een ouder wordende man zou hem nooit in leven mogen laten. Dat is de waarheid! Léa had hem moeten doodsteken, vergiftigen, ze had hem van die oude stenen brug moeten duwen in dat dorp in de Alpen dat ze ooit bezochten. Dat zou menselijker geweest zijn dan wat ze nu had gedaan. Minder kwellend dan de gladde zachtheid van die zijden stof. Ja, ze had hem moeten doden.

Dat was trouwens een beetje wat er gebeurd was.

Sjoetov kan zich nog heel goed het precieze moment van die terdoodbrenging herinneren.

Ze maakten vaak ruzie, maar met de theatrale heftigheid van geliefden die weten dat de meest scherpe woorden bij het eerste gekreun van genot vergeten zijn. Sjoetov was woedend over de huidige literaire armoede. Léa stelde daar een hele schare 'levende klassieken' tegenover. Hij ging tekeer tegen schrijvers die van hun mannelijkheid waren beroofd doordat ze politiek correct wilden zijn. Zij haalde een 'geniale' zin aan (ja, onder andere die over een zoon die door zijn moeder geestelijk als een hond aan de lijn wordt gehouden terwijl hij met een vrouw de liefde bedrijft). Ze haatten elkaar en een half uur later beminden ze elkaar en het belangrijkste was de gloed van de ondergaande zon die door het zolderraam Léa's huid een goudgele glans gaf en een langgerekt litteken op Sjoetovs schouder duidelijker zichtbaar maakte.

Lange tijd deed hij liever of hij het niet merkte. De toon van hun ruzies veranderde: Léa toonde zich minder strijdlustig, hij werd venijniger. Hij voelde die onverschilligheid

als een dreiging en sindsdien was hij de enige die tekeer-
ging. Vooral die avond dat hij een van zijn manuscripten
terugkreeg omdat het geweigerd was. Dat was de keer dat ze,
aarzelend haar woorden kiezend, zei dat hij op een ontploffing leek die niet bij machte was een knal te laten horen ...
Pas na hun breuk drong tot Sjoetov door dat dit bij haar de
allerlaatste opwelling van liefde was geweest.

De onttakeling had zijn intrede gedaan (onder de ramen
van zijn zolder braken arbeiders steigers af: een stom verband
dat hij legde, alweer zijn hebbelijkheid als schrijver) en hun
relatie brokkelde eveneens laag voor laag af. Léa kwam steeds
minder vaak naar het 'duivenhok', gaf steeds minder opheldering over haar perioden van afwezigheid, geeuwde en liet
hem praten als Brugman.

De gevreesde macht van een vrouw die niet langer lief-
heeft, dacht Sjoetov en hij bekeek zichzelf in de spiegel, be-
tastte de kraaienpootjes rond zijn ogen, nam zichzelf voor
toegeeflijker te zijn, zijn standpunten wat te versoepelen, 'levende klassieken' respectvol te behandelen ... En begon weer
luid het heilige vuur van dichters te loven en de hemel in te
prijzen. Kortom, zich onuitstaanbaar te gedragen. Want zijn
liefde was niet verdwenen.

De moord vond plaats in een café. Zo'n tien minuten probeerde Sjoetov 'aardig' te zijn, zoals Fransen dat noemen, toen
hield hij het niet langer vol en ontplofte hij ('een knal!' spotte
hij later). Alles passeerde de revue: het gekonkel in literaire
kringen, schrijvers die, het knechtje spelend, het ego van con-
servatieve zakken en bobo's strelen, en Léa zelf ('Eigenlijk ben
jij in dat verrotte eliteclubje een "collabobo"!'), en de krant
die uit haar tas stak ('Toe maar, lik de hielen maar van die

salonsocialisten van niks, misschien willen ze je bij hun *Parijse Pravda* wel als freelancemedewerkster hebben') ... Hij voelde zich belachelijk en wist dat hij maar één ding wilde vragen: hou je nog van me of niet? Maar hij was bang voor het antwoord en klampte zich vast aan de herinnering aan hun vroegere ruzies die eindigden met de liefdesdaad.

Aanvankelijk lukte het Léa om de scène die hij maakte bij de cafébezoekers te laten doorgaan voor een felle maar vriendschappelijke woordenwisseling. Toen kwam het moment dat door de heftigheid van toon niemand zich meer om de tuin liet leiden: een meneer die niet zo jong meer was bekte zijn, overigens voor hem veel te jonge, vriendinnetje af. Léa voelde zich in de val gelokt. Opstaan en vertrekken? Ze had echter nog 'een heleboel spullen' die weggehaald moesten worden van de zolder van die gek die in staat was alles op straat te gooien. Sjoetov zou er nooit achter komen of ze zulke dingen ook werkelijk had gedacht. Léa's gezicht verstrakte. En met een vervelde uitdrukking diende ze hem de slag toe waarvan ze wist dat hij er geen verweer tegen had.

'Tussen twee haakjes, ik hoorde wat jouw achternaam in het Russisch betekent ...' gaf ze te kennen toen hij net met een verwrongen gezicht zijn zoveelste kop koffie naar binnen goot.

Sjoetov veinsde verbazing, maar zijn blik verried onzekerheid, bijna alsof hij zich ergens schuldig over voelde. Hij stamelde: 'Weet je, er zijn meer afleidingen mogelijk ...'

Léa liet een grinnikend lachje horen, een stroom kleine glasscherven. 'Nee, jouw naam heeft maar één betekenis ...' Ze wachtte even, daarna zei ze met een krachtige en minachtende stem: '*Sjoet* betekent clown. Een nar dus eigenlijk.'

Ze stond op en liep zonder zich te haasten, zo zeker was ze van het effect van haar woorden, naar de uitgang. Verslagen keek hij hoe ze, gevolgd door de geamuseerde blikken van de cafébezoekers, wegliep, vervolgens sprong hij op, rende naar de deur en schreeuwde midden tussen de voorbijgangers met een stem waarvan de gekwetste toon hemzelf verbaasde: 'Sjoet betekent droeve clown! Onthoud dat! En die droeve clown hield van je ...'

Het eind van de zin ging verloren in een hoestaanval. Net als het gefluister van de verliefde jongeman bij Tsjechov, dacht hij op een avond terwijl hij naar de laatste dozen van Léa keek die in een hoek van het 'duivenhok' stonden.

Maar die dag, teruggekeerd naar het café, was hij een hele poos niet meer in staat om na te denken, zag hij weer een kind voor zich in een rij andere kinderen, allemaal hetzelfde gekleed, een jongen die een stap naar voren doet als hij zijn naam hoort en 'Present!' roept, daarna zijn plaats weer inneemt. Ze staan in een rij voor het grijze gebouw dat een weeshuis is en na het appèl klimmen ze in een vrachtwagen en vertrekken om op modderige akkers te werken terwijl er ijskoude fijne hagel op hen neervalt. Voor het eerst in zijn leven beseft de jongen dat die naam Sjoetov alles is wat hij hier op aarde bezit, alles wat hem in de ogen van anderen 'aanwezig' laat zijn. Een naam waarvoor hij zich altijd een beetje zal schamen (verdomde etymologie!) en waaraan hij zich niettemin gehecht voelt, want deze naam was de naam van een persoontje dat nog niet kon praten toen het de deur zag dichtgaan achter de vrouw van wie het op de wereld het meest hield.

Tegenover het 'duivenhok' een smal gebouw, muren in fletse kleuren ('een huis dat na een zonnebad vervelt', zei Léa). Het maanlicht valt van voor tot achter door de kleine woning op de bovenste verdieping. De arbeiders hebben de ramen niet weer gesloten en de ruimte is helder verlicht, als in de droom van een slaapwandelaar. Vroeger woonde er een oude vrouw, vervolgens verdween ze, waarschijnlijk is ze overleden, de arbeiders hebben de tussenwanden weggebroken om er een '*doorzon*-eenkamerappartement' van te maken, mode verplicht, en nu waakt de maan over dat lege huis, een dronkaard met droeve ogen kijkt er bewonderend naar en fluistert woorden die bestemd zijn voor een vrouw die ze nooit zal horen.

Een vrouw die, na met haar 'vent' de liefde te hebben bedreven, in hun nieuwe 'flatje' ligt te slapen … Alles doet hem van nu af aan pijn, dat taaltje waarvan de vrienden van Léa zich naar hij zich voorstelt bedienen en het idee dat dat jonge lichaam zo dichtbij en toch voorgoed weg is. Een lichaam dat zo soepel was als een algenstengel, maar dat tijdens hun liefdesspel op een aandoenlijke, ontwapenende manier onhandig bleef. Dat hem die vrouwenarmen, die dijen, de nachtelijke ademhaling van Léa ontnomen zijn, alleen al die gedachte doet een pijnscheut door zijn middenrif trekken. Verterende jaloezie, het gevoel dat er iets van je weggesneden is. Het gaat wel voorbij, zo weet Sjoetov uit ervaring. Een begeerd lichaam dat zich aan een andere man geeft kan vrij snel vergeten zijn. Sneller zelfs dan de spijt niet gesproken te hebben over het maanlicht dat dwars door het huis aan de overkant schijnt, over de vrouw die er ooit woonde, verdriet had, liefhad. En over het nieuwe leven dat die witte schelp zal vullen, er meubels in zal zetten, er maaltijden zal bereiden, lief zal hebben, verdrietig zal zijn, verwachtingen zal koesteren.

Soms hadden ze het na hun twistgesprekken over literatuur, na het bedrijven van de liefde, wel over die tot het leven van de mensen behorende, misleidende zekerheden. Op zulke momenten voelde Sjoetov zich altijd zoals hij had willen zijn: hartstochtelijk maar ongedwongen, zinnelijk en tegelijkertijd zich ervan bewust dat, dankzij hun trage woorden, Léa samen met hem naar een ideale hoogte steeg ...

Op de derde verdieping van het huis aan de overkant gaat achter een raam het licht aan. Een naakte jongeman doet een koelkast open, pakt er een fles mineraalwater uit en drinkt. Een jonge vrouw, eveneens naakt, voegt zich bij hem en slaat haar armen om hem heen, hij maakt zich met de fles aan zijn mond los, hoest, gooit zijn vriendin nat, ze lachen. Het licht gaat weer uit.

Dat had Léa met haar vriend kunnen zijn, denkt Sjoetov en vreemd genoeg verlicht het tafereel de kramp van jaloezie onder zijn middenrif. Ze zijn jong, wat wil je ...

Hij verwijdert zich van het raam en ploft op de canapé neer. Ja, zijn fatale fout was dat hij alles ingewikkelder maakte. Ze steeg samen met mij naar een ideale hoogte ... Wat een flauwekul! Een man nadert op een treurige manier de vijftig en opeens heeft hij het geluk een jonge, knappe en niet domme vrouw te ontmoeten. En die echt genegenheid voor hem voelt. Hij zou van vreugde een gat in de lucht moeten

17

springen. Zingen, de hemel danken. En vooral genieten! Zo uitbundig als maar kan. Dat zou hij moeten doen. Genieten van die onhandige want oprechte liefde, van hun uitstapjes ('We gaan naar Parijs', zeiden ze als ze van hun Ménilmontant afdaalden), van het nachtelijk geruis van de regen op het dak. Van al die vaste onderdelen van een liefdesrelatie in Parijs (ach, dat lied van de regen!), onverdraaglijk in een boek maar zo aangenaam in het leven. Van die remake van een romantisch blijspel uit de jaren zestig ...

Want hun liefde duurde dan toch maar tweeënhalf jaar. Dat is al langer dan de duur van een relatie in de boeken van tegenwoordig. Het had voor hem heel goed een van die verhaaltjes kunnen worden waar de boekwinkels vol mee liggen: twee mensen ontmoeten elkaar, worden verliefd, lachen, huilen, gaan uit elkaar, vinden elkaar terug, daarna vertrekt zij of pleegt zelfmoord (naar keuze) en hij rijdt, met een getekend maar knap gezicht op een snelweg de nacht, Parijs, de vergetelheid tegemoet. Bovendien verkeerden ze allebei in goede gezondheid, hadden geen zelfmoordneigingen en wat snelwegen betreft, die vermeed Sjoetov omdat hij zich achter het stuur niet zo zeker voelde. Ja, hij had domweg gelukkig kunnen zijn.

Daarvoor moest je vanaf het begin de zaken helder onder ogen durven zien: een jonge vrouw uit de provincie verlaat haar ouders, of veeleer: haar 'eenoudergezin' dat in een economisch achtergebleven gebied ten noorden van de Ardennen woont, trekt naar Parijs, waar ze een 'atypische' man tegenkomt die haar onderdak verschaft. De jonge vrouw droomt van een carrière als schrijfster (zoals alle Fransen, denkt Sjoetov), hij, hoewel schrijver met maar een bescheiden publiek, zal haar raad geven, of anders haar helpen om uitgegeven te worden.

Zo zag, objectief gezien, hun situatie eruit. Sjoetov hoefde er maar mee in te stemmen ... Maar zoals zo veel Russen, vond hij dat dit geluk, dat berustte op praktische regeltjes, mensen die van elkaar hielden onwaardig was. Toen hij veertien was, had hij een verhaal van Tsjechov gelezen waarin het behaaglijke leven van een echtpaar niets was vergeleken met de roes van een minuut op een besneeuwde helling tijdens een afdaling in een slee. Op zijn achttiende had hij in gezelschap van een meisje wekenlang door de parken van Leningrad gewandeld onder een goudgeel bladerdak: ruim vijfentwintig jaar later herinnerde hij het zich als een zeer belangrijke periode in zijn leven. Op zijn tweeëntwintigste had hij, als jong soldaat naar Afghanistan gestuurd, op de binnenplaats van een huis een dode oude vrouw gezien die haar hond in haar armen klemde, die net als zij door een granaat was gedood. Zijn regimentskameraden hadden Sjoetov een slappeling gevonden omdat ze hem hadden zien huilen (die ingeslikte tranen leidden ertoe dat hij een paar jaar later politiek dissident werd ...). Van zijn universitaire studie bewaarde hij de herinnering aan een Latijnse tekst, woorden die Dante hadden geïnspireerd: *Amata nobis quantum amabitur nulla.* Het zou hem lange tijd aan het nadenken zetten over een vrouw 'van wie meer werd gehouden dan van enige andere'. Met betrekking tot die liefde was een gewijde taal nodig. Niet per se Latijn, maar een taal die het geliefde wezen boven het alledaagse zou verheffen. *Amata nobis* ... Ik hou van je, Nadenka ...

Sjoetov komt in beweging, wakker geworden door een doffe schreeuw uit zijn keel die tegen een kussen op de canapé drukt. De sterkedrank smaakt naar de plaatselijke verdoving bij een tandarts. Een nutteloze slok, hij zou er drie of vier nodig hebben om zo dronken te worden dat Léa's dozen in onschuldige vlekken zouden veranderen, zouden gaan zwalpen, onwerkelijk zouden worden.

Onwerkelijk ... Dat is het hele probleem! Aan een vrouw van vlees en bloed vragen om een droom te zijn. Ga eens samenwonen met een gek die denkt dat je in staat bent op een manestraal te lopen! Hij idealiseerde haar vanaf het begin. Ja, vanaf het eerste woord dat ze wisselden, die zondagavond, treurig zoals elke regenachtige avond in februari, in de koude hal van het gare de l'Est ...

Ze stonden in twee telefooncellen naast elkaar te bellen, in feite twee slechts door een glasplaat gescheiden toestellen. Zij belde (zou hij later horen) met een vage vrouwelijke kennis die haar onderdak in het vooruitzicht had gesteld. Hij probeerde een uitgever thuis te bereiken (teruggekeerd uit zijn luxueuze villa in Cabourg, die hij had kunnen kopen, vertelde hij graag ironisch, dankzij het massaal uitgeven van treinlectuur). Opeens draaide het meisje zich met een telefoonkaart in haar hand om en hij hoorde een tegelijkertijd wanhopig en geamuseerd gefluister. Ja, in de buurt van vrolijke verbazing, op de grens van tranen: 'Het tegoed is op ...' En luider voegde ze eraan toe: 'Het tegoed en al het andere trouwens.' Ze had Sjoetov nog niet opgemerkt, ze had niet meteen in de gaten dat hij haar zijn kaart aanreikte. (De echtgenote van de uitgever had hem zojuist op zijn nummer gezet: 'Zoals ik u al zei, bel hem morgen op kant...' Trots gooide hij de hoorn erop.) Léa bedankte hem, draaide het nummer nog eens. Haar vriendin kon haar niet ontvangen want ... Ze hing eveneens op, maar traag en besluiteloos, stopte de kaart in haar portemonnee, prevelde een goedenavond en liep naar het bord met vertrektijden. Sjoetov wist zo gauw niet in welke taal hij haar moest aanspreken. In het Russisch leverde dat letterlijk op: 'Jongedame, en mijn kaart?' In het Frans: 'Juffrouw, mag ik mijn kaart terug?' Nee. Misschien: 'Hé, u daar, u gaat er toch niet ...' Ook niet. Nou goed, hoe dan ook, hij was te oud om het verlies van een telefoonkaart iets anders te laten veroorzaken dan een moment van verwarring ...

Hij liep weg met in zijn hoofd het begin van een verhaal in de trant van Maurois: een vrouw neemt de telefoonkaart mee die een man haar even daarvoor had geleend ... En daarna? Herinnert ze zich hem elke keer dat ze langs de bewuste cel loopt? Nee, dat is te proustiaans. Beter: een buitenlander (hij, Sjoetov) achtervolgt de vrouw om zijn kaart terug te krijgen, roept met zijn vreselijke accent, de vrouw denkt dat ze aangerand wordt en bespuit hem met traangas (variant: schakelt hem uit met een stroomstootwapen) ...

Hij was al een flink eind op de boulevard Magenta gevorderd toen een hijgende stem hem riep en vervolgens een hand zijn arm aanraakte. 'Neem me niet kwalijk, ik heb uw telefoonkaart meegenomen ...'

Hij werd verliefd op alles wat Léa was. En alles wat hij van haar zag was als een zin waaraan niets meer verbeterd hoefde te worden. Dat oude leren jasje met zijn versleten voering, een krap jasje dat ten slotte de welvingen van Léa's lichaam had overgenomen. In het kledingstuk bleven de lijnen van die mooie rondingen zichtbaar ook al hing het in het halletje van het 'duivenhok'. En dan de schriften van Léa, de wat kinderlijke ijver waarmee de aantekeningen waren geschreven, heel erg Frans, dacht Sjoetov, omdat hij er de bezetenheid in opmerkte om leuk te formuleren. Toch leek voor hem alleen al het zien van die schriften voortaan van levensbelang. En ook die stijve beweging die voor hem als een gedicht was: een arm die Léa in haar slaap ver van zich af op de lakens gooide. Die slanke arm, een hand met vingers die af en toe beefden, als reactie op wat er in het verborgene van een droom gebeurde. Een schoonheid los van dat lichaam, van die zolder vol helder maanlicht, van de wereld van de anderen.

Ja, dat was zijn fout: het verlangen om van Léa te houden zoals je van een gedicht houdt. Op een avond las hij haar dat verhaal van Tsjechov voor: twee besluiteloze geliefden, het weerzien twintig jaar later. Ik hou van je, Nadenka ...

'Een balling heeft als vaderland alleen de literatuur van zijn vaderland.' Wie had dat gezegd? Sjoetov kon met zijn benevelde brein niet op de naam komen. Ongetwijfeld een naamloze die uit het vaderland was verdreven, 's nachts wakker werd en naar het rijm zocht van een gedichtje dat hij als kind ooit uit zijn hoofd had geleerd.

Lange tijd vormden de trouwe geestverschijningen van door schrijvers bedachte wezens zijn gezelschap. Schimmen, ja, maar als balling in Parijs kon hij het goed met ze vinden. Op een mooie zomerdag zag Tolstoj in Moskou achter een open raam de gestalte van een vrouw, een blote schouder, een arm met een zeer witte huid. De hele Anna Karenina is, als we hem moeten geloven, uit die vrouwenarm ontstaan.

Sjoetov vertelde Léa dat verhaaltje. Wat had hij haar anders te bieden dan dat in boeken teruggevonden vaderland? Ze lazen Tolstoj bijna elke avond, die zeer koude winter, twee jaar geleden, aan het begin van hun liefdesleven. De zolder werd verwarmd door een op het rookkanaal van de schoorsteen aangesloten gietijzeren kacheltje, de geur van thee vermengde zich met die van vuur en op de bladzijden was de weerschijn te zien van de bewegende vlammen.

'Zie je, ze zeggen altijd: ach, Tolstoj, een zeer-r-r R-R-Russische roman, een brede rivier, een woeste, onberekenbare stroom! Fout. Een rivier, akkoord, maar beheerst dankzij sluizen, namelijk de hoofdstukken, met een goed uitgekiende omvang. Ja, een opbouw op z'n Frans, zo je wilt.'

Sjoetov probeert een minachtend mondje te trekken, maar

23

de dronkenschap heeft zijn gezicht te zeer vermoeid om het nog enige uitdrukking te geven. Trouwens, dat beeld van sluizen is zo gek nog niet. Bovendien is de herinnering aan die avonden lezen voor het vuur nog heel vers, heel levendig.

Hij haalde ook Tsjechov aan: 'Schrap van een verhaal het begin en het eind. Daar wordt het meest gelogen!' Léa luisterde met een onzeker makende gretigheid. Sjoetov dacht glimlachend: verleiders nemen vrouwen mee uit rijden in een cabriolet. Schrijvers die aan het afglijden zijn naar een zwerversbestaan komen met Russische klassieken aanzetten. Op een schip dat de Krim, die door de revolutie in brand stond, ging verlaten, zat de jonge Nabokov schaak te spelen. Een zeldzame en boeiende combinatie, en toen hij zich van de velden van het schaakbord losrukte, was de geboortegrond al uit het zicht verdwenen! De leegte van een uitgestrekte zee, een klaaglijk krijsende meeuw, geen enkele spijt. Vooralsnog …

Ik wond me op als een dwaas toen ik haar vertelde over dit gemiste afscheid, herinnert Sjoetov zich. De estheet Nabokov vond een leuke metafoor belangrijker dan de vadergrond! En *Lolita* werd zijn straf. Een walgelijk boek dat inspeelt op de lage instincten van burgerlijke lieden in het Westen …

Dit oordeel gaf aanleiding, herinnert hij zich, tot een van de discussies waarbij Léa de schrijvers verdedigde die Sjoetov de grond in boorde.

'Maar wacht, luister dan eens naar deze zin!' riep ze die avond uit. 'Nabokov schrijft: "… hij sprak zo raspig als een vochtig suikerklontje." Dat is geniaal! Je proeft het in je mond, je ziet de man die zo praat voor je. Geef toe dat dat toch heel goed is!'

'Herculisch! Ik zie onze knappe Vladimir van hier af op een suikerklontje sabbelen. Maar "geniaal" is dat niet, Léa. Het is slim bedacht, een klein verschil! Bovendien, het kan jouw Nabo geen moer schelen te weten wie er zo raar praat. Als het een gemartelde gevangene was, zou dat niets aan de zaak veranderen. Hij schrijft als een vlinderverzamelaar: hij vangt een mooi insect, doodt het met formol en steekt er een naald doorheen. Met woorden doet hij hetzelfde ...'

Sjoetov ging door met het afkraken van Nabokov, maar het gezicht van Léa betrok, ze scheen een voorval te zien dat zich aan de andere kant van de muren van het 'duivenhok' afspeelde, iets wat hun woorden niet konden benoemen. 'Zij ziet een schaakspeler op het dek van een schip en de kust van de geboortestreek die achter de horizon verdwijnt.' Sjoetov zweeg, luisterde naar het ruisen van de regen op het dak.

De volgende dag deelde Léa hem wat verlegen mee dat ze afgesproken had om haar moeder een 'beleefdheidsbezoek' te brengen. Ze vertrokken samen. Die reis zou voor Sjoetov belangrijker worden dan het jaar dat hij in New York had gewoond, dan zijn zwerftochten door Europa, en zelfs belangrijker dan het verblijf in Afghanistan tijdens zijn militaire dienst.

Toch ging het maar om drie dagen, doorgebracht in een lelijke streek ten noorden van de Ardennen. Kou, mist, met kille bossen bedekte heuvels. En als toppunt van toeristische onaantrekkelijkheid een bord dat zijn kleur had verloren en dat midden op een onbebouwd terrein aankondigde dat er binnenkort een 'vrijetijdscentrum' zou worden geopend.

Hij bevond zich in een tijdperk dat hij niet kende omdat

hij geen Fransman was, en waar hij beetje bij beetje verliefd op werd. In zijn hotelkamer was de binnenkant van de kast beplakt met behang waarvan het patroon hetzelfde was als op de muren in sloophuizen. Voor de spiegel raakte Sjoetov in een roes: al die gezichten van vroeger waarvan de spiegel telkens weer het groenachtige beeld had weerkaatst! Hij ging met zijn hand over de bovenkant van de kast (een bergplaats van door reizigers achtergelaten schatten). Deze keer bestond de schat uit een oud exemplaar van de plaatselijke krant, van 16 mei 1981 …

Sjoetov las hem terwijl Léa met haar moeder de avondmaaltijd gebruikte. Hij had gedaan gekregen dat hij niet hoefde te komen opdraven om zich voor te stellen. 'Weet je, ons leeftijdsverschil maakt bijna een pedofiel van me. En als je toch aandringt, vraag ik de hand van je moeder …' Léa had opgelucht gelachen: 'Dat zou ik niet overleven …'

Ze brachten die drie dagen door met wandelen, dicht tegen elkaar aan onder een grote paraplu. Léa liet hem haar school zien, het stationnetje (al jaren gesloten) en, in een inham van de Sormonne, een bosje waar ze als tiener heen ging om er haar eerste gedichten te schrijven in de veronderstelling dat deze bezigheid om een passende landelijke omgeving vroeg. Nu zorgden winterse rukwinden ervoor dat de rivier er triest, vijandig uitzag. Vreemd genoeg is deze grauwheid gunstig om te dichten, dacht Sjoetov en hij zag aan de blik in Léa's ogen dat zij dat ook vond.

Toen hij op een van de avonden alleen door de straten dwaalde, ging hij Café de la Gare binnen, tegenover het niet meer in gebruik zijnde station. De klanten leken elkaar zo goed te kennen dat hun woorden, stukken van zinnen die allerlei toespelingen bevatten, voor hem een vreemde geheimtaal bleven. Een oude man die aan het tafeltje naast het zijne zat, mompelde, zonder zich tot de indringer te richten, iets wat op een begroeting leek. Sjoetov draaide zich naar hem om en bijna als vanzelf raakten ze in gesprek: de straten van het stadje vulden zich met mensen die tegelijkertijd eenvoudig en heldhaftig waren. De heuvels ontwaakten door wapengekletter, werden overspoeld door soldaten. Bij de brug ('Die was toen smaller, na de oorlog hebben ze hem vernieuwd' ...) trokken infanteristen met bruine gezichten van het stof zich al schietend op de vijand terug. 'We hadden weinig munitie, we moesten zien weg te komen. De moffen waren al vlakbij, in ieder geval de moffen die ons beschoten. Het was avond geworden, we dachten het bos te kunnen halen. Nou ja, dat hoopten we ... Onze schutter, hij heette Claude Baud, heeft ons gered. Hij was even tevoren in zijn been getroffen door een granaatscherf maar hij bleef schieten, op zijn knieën in een plas bloed ...'

Klanten kwamen binnen en groetten de man luidruchtig: 'Hoe gaat het, Henri? Helemaal in vorm, zoals altijd?' Jongelui die tafelvoetbal aan het spelen waren herhaalden schertsend dat 'Hoe gaat het, Henri?' en fluisterden vervolgens een rijmwoord waarvan de betekenis Sjoetov ontging. De man leek niets te horen van wat er door dezen of genen gezegd werd. Toch gaf hij antwoord op de vragen van Sjoetov zonder dat hij hem vroeg harder te praten. Hij merkte ook zijn buitenlandse accent op, die verraderlijke, onuitroeibare 'r' ... Léa kwam binnen, riep: 'Goeienavond, Henri, alles goed met je?' en beduidde Sjoetov dat het tijd was om te gaan.

's Nachts in zijn hotelkamer dacht hij terug aan de oude

man in Café de la Gare. Een spaarzaam verlichte gelagkamer, een raam dat op verroeste rails uitkeek, woorden uit een verleden dat niemand interesseerde. Hij voelde zich nauw verwant, en met die man en met de troosteloze huizen in het stadje en met de heuvels die in een winterskoude duisternis gedompeld lagen. Ik zou hier wel willen wonen, ja, deze streek zou me wel aanvaarden ... Vaag had Léa waarschijnlijk aangevoeld dat deze reis voor Sjoetov een terugkeer betekende naar wie hij werkelijk was.

De maan is uit de lege woning op de bovenste verdieping van het pand aan de overkant verdwenen. Hij staat hoog boven de daken en de zolder baadt in blauw licht, je zou de titels kunnen lezen van de boeken die Léa voor de verhuizing heeft klaargezet. De chronologie van zijn liefde voor haar valt met die titels samen ... De boeken die ze lazen, hun gekibbel over een schrijver ... En vervolgens dat snelle stuk gaan, afgelopen, zomaar opeens, hopla! Hij duwt tegen een van de stapels, de boeken vallen verspreid op de grond. Over welk boek hadden ze het de dag dat de eerste barst ontstond? Misschien over die verhalenbundel. In een van de verhalen zag een vrouw de man terug die ze vroeger had liefgehad en ze daalden in een slee een besneeuwde helling af ... Dus tijdens de reis naar de Ardennen dacht hij nog dat hij verliefd was zoals die man bij Tsjechov. Ik hou van je, Nadenka ...

Drie uur in de ochtend, vandaag al komt Léa haar dozen halen, de restanten van haar leven in het leven van Sjoetov. Als ze straks weg is, zal hij in zijn eentje verder praten, een beetje zoals die oude man in Café de la Gare.

Hij is zich ervan bewust dat hij nooit tegen Léa heeft gezegd wat echt belangrijk was. Hij durfde het niet, hij kon het niet. Vele dagen (wonderbaarlijke dagen die hij kreeg om lief te hebben) liet hij verloren gaan met zeuren over de heilige opdracht van de dichter, met tekeergaan tegen het intellectuele wereldje. Aanvankelijk luisterde ze naar hem met de stille aandacht waarmee naar profeten wordt geluisterd. Literair Parijs boeide haar en Sjoetov kwam haar voor als een schrijver die er goed was ingevoerd. De illusie duurde nog geen jaar. De tijd die een jonge vrouw uit de provincie nodig had om haar weg te vinden en erachter te komen dat deze man eigenlijk niet meer was dan een randfiguur. En ook zijn verleden als dissident dat Sjoetov ooit had gesierd, werd een tekortkoming, of eerder een teken van zijn hopeloze ouderwetsheid: denk je eens in, een dissident uit de jaren tachtig van de afgelopen eeuw, een tegenstander die was verbannen uit een land dat sindsdien van alle landkaarten was verdwenen! Begin jaren tachtig, de tijd dat ik nog een baby was, dacht Léa waarschijnlijk. In haar liefde speelde vanaf dat moment medelijden mee. Ze probeerde Sjoetov uit zijn isolement te halen. En dat werd het begin van een strijd zonder overwinnaar.

'We leven niet meer in de negentiende eeuw!' luidde gewoonlijk haar argument. 'Een boek is een product zoals elk ander product ... Maar dan moet het wel verkopen! Goed dan, ga je gang, doe zoals Boelgakov, schrijf en zorg dat het pas over dertig jaar en post mortem gepubliceerd wordt.'

Sjoetov wond zich op, haalde gevallen aan van schrijvers die later weer in de belangstelling kwamen, ja, Nietzsche en zijn veertig exemplaren van *Zarathustra*, op eigen kosten uitgegeven en aan vrienden cadeau gedaan.

'Akkoord, geef me je manuscript en over een uur kom ik terug met veertig kopieën. Je signeert de eerste voor je Australische buurman, hij zal er zijn veluxraam mee vastzetten. Je vergist je in de tijd, Iwan! Tegenwoordig is de lieveling van de Fransen geen dichter meer maar een voetballer ...'

'Er zijn landen waar die tijd is blijven voortbestaan!'

'O ja? Misschien in de binnenlanden van Mantsjoerije.'

'Nee. In Rusland ...'

Deze tweegevechten hadden een indirect gevolg: Sjoetov begon te dromen van dat Rusland dat hij al twintig jaar niet meer had teruggezien en waar zich, zo dacht hij, een leven voortzette dat was doortrokken van geliefde dichtregels. Een park vol goudgele bladeren op de grond, een vrouw die daar zwijgend loopt, als was ze de hoofdpersoon in een gedicht.

Het beeld van een zolderraam dat met behulp van een manuscript was vastgezet vormde een mijlpaal. Hij merkte bij Léa een bepaalde laatdunkendheid op, een soort grove spotternij, iets wat door Fransen erg werd gewaardeerd (hij had nooit begrepen waarom). Ze was steeds vaker afwezig, zogenaamd voor haar lessen journalistiek of voor een stage bij een uitgeverij.

Op een dag moest hij vroeg weg en zag hij beneden op

de deksel van een vuilnisbak een soort grote zwartleren tas staan. Al in de metro kreeg hij een vermoeden: dat voorwerp was geen tas. Toen hij er om twaalf uur 's middags weer langs kwam, zag hij het niet meer maar besefte hij dat het om het oude jasje van Léa ging. Versleten voering, welvingen in het leer die correspondeerden met de vormen van haar lichaam ... De hevigheid van zijn verdriet verraste hem. Eindelijk dacht hij dat hij in staat was de zwakke lichtpuntjes die de kern van zijn leven uitmaakten in woorden te vatten: het oude jasje, de arm die Léa in haar slaap op de lakens verlegde ... 's Avonds kwam ze thuis met een pakje tegen haar borst gedrukt. Sjoetovs laatste manuscript. Door een uitgever teruggestuurd. Ze gebruikten zwijgend de avondmaaltijd, daarna maakte hij zich al heel gauw kwaad over het 'kaboutergedoe', zoals hij het noemde, in het huidige literaire wereldje. Waarschijnlijk had Léa medelijden met hem want ze mompelde met een minder bitse stem, ja, met haar vroegere stem: 'Zeg geen stomme dingen, je hebt niets van een mislukkeling, Iwan. Je bent zoiets als een ... Ja, een ontploffing die niet bij machte is een knal te laten horen.'

Vanaf die avond werd ze nog afstandelijker.

Deze liefde op z'n retour beleefde echter een geweldige wederopbloei. Sjoetov werd uitgenodigd voor een televisieuitzending! Vreemd genoeg voor een roman die drie jaar daarvoor was verschenen en die geen enkel succes had gehad. De persman onthulde het mysterie: 'U had het over Afghanistan, en nu, met alles wat er daarginds is gebeurd ...' Het was het boek waarin een jonge soldaat in huilen uitbarstte bij het zien van een oude vrouw en haar hond die tijdens een artilleriebeschieting om het leven waren gekomen.

Toen hij Léa vertelde dat hij was uitgenodigd, deed Sjoetov of het hem koud liet, maakte hij zelfs een paar kwinkslagen ('Je zult zien, dankzij mij zullen de kijkcijfers exploderen!' …). Maar in werkelijkheid had hij het gevoel dat dit zijn grote kans was: voor de jonge vrouw kon hij weer de schrijver worden die haar kundig inwijdde in de geheimen van het vak.

Hij kocht een blauw overhemd, effen, want 'strepen bewegen op het scherm', legde hij uit. Léa ging met hem mee, opgemaakt alsof ze zelf in de uitzending moest optreden.

Die zou omstreeks middernacht plaatsvinden. 'Na de televisiespelletjes, het voetballen en de rest. De waardenhiërarchie', liet Sjoetov nog gauw weten, hoewel hij zich elke bitterheid ontzegde. Op de televisie moest je een beetje onnozel glimlachen, strak blijven. 'Ik zal voor je duimen', fluisterde Léa en gespannen als hij was, schrok Sjoetov op voor hij zich die merkwaardige gewoonte herinnerde. Vanaf dat moment kwam er een onwerkelijk gevoel over hem.

Droomachtig was ook het late tijdstip, dat de deelnemers iets van samenzweerders (of spiritisten) gaf, die om een onzinnige reden bijeenzaten rond een tafel die fel werd verlicht. Maar vooral de verplichting om een glimlachende idioot te zijn. Niemand vroeg erom, toch tooide een geheimzinnige kracht hun gezicht met die onnozele grijns, werd er naar elkaar gelonkt als hoeren die druk aan het tippelen waren.

Op een hoge kruk gezeten (precies als in een hoerencafé, dacht Sjoetov), bekeek hij de 'studiovloer'. Daar was een Franstalige schrijver, die jonge zwarte, wiens tanden blonken als in de serie *Banania*. Een Chinees, die er slim uitzag, met een ontwijkende blik achter zijn brilletje. En hij, Sjoetov, een Rus, voor het goede evenwicht. Drie levende voorbeelden van een gemondialiseerde literatuur. Tegenover Sjoetov legde de grimeuse de laatste hand aan het gezicht van een ... Hoe moest hij het noemen? Journalist, schrijver, uitgever, lid van een aantal jury's, een bekende mediabons die door Sjoetov als een 'literaire maffioot' werd gezien en tegen wie hij nu moest glimlachen. Links van deze man had men zojuist een psycholoog laten plaatsnemen die deskundig was op het gebied van geluk, in rijke landen een zeldzaam geworden toestand. De psycholoog sprak met zijn buurvrouw, een als Halloweenheks uitgedost meisje. Ten slotte verscheen er een laatkomer, een vrouw van rond de vijftig met grijzend haar en het gezicht van een verlepte schoonheid. Verblind door de schijnwerpers liep ze een paar keer om de tafel voor een assistente haar haar plaats wees, naast Sjoetov. Hij ontmoette haar blik, waarvan de intelligentie niet paste bij het egale roze van de make-up. Ze was de enige die niet glimlachte.

De uitzending begon. De Afrikaan kreeg als eerste het woord en hij bleek een voortreffelijk vakman te zijn. Hij had goed geoefend op zijn korte optreden: stem, lachje, trilling in zijn stem, daarna een echt komisch intermezzo waarin hij, citerend uit zijn roman, tegelijkertijd de rijke minnaar speelde en de listige minnares, zij omgeven door familieleden, vertellers van oude verhalen en medicijnmannen. Oergrappig.

Na een dergelijk optreden stak de Chinees, ondanks de overbeleefde gezichten die hij trok, maar bleek af. Dat kwam doordat hij nauwelijks Frans sprak. En toch gaf hij voor in die taal te schrijven en was hij door een van de beste Parijse uitgevers uitgegeven ... Sjoetov hoorde dingen die, opnieuw, uit een surrealistisch toneelstuk afkomstig leken: 'Yang verenigt zich met yin en dat levert op ... Confucius zei dat ... De berg van de rode draak ... Yin vult yang aan ...' De beide termen werden zo vaak herhaald dat de presentator er opeens van in de war raakte: 'Uw personage is niet erg yin, ik bedoel, een beetje ...'

Maar het optreden van Sjoetov werd pas echt een sof. Hij begon aan een lange en mooie zin: de plicht om te getuigen die op de schrijver rust, het zoeken naar de waarheid, de psychologie van de personages die de a priori's van de schrijver zelf onderuithaalt. Ja, die door de oorlog geharde soldaat die bij het zien van de dode lichamen van een oude vrouw en haar hond in huilen uitbarst. De gespreksleider zag het gevaar van deze alleenspraak aankomen en als ervaren spreker wist hij de ramp te beperken: 'Als je uw boek leest, merk je dat het voor de Russen een te zware verantwoordelijkheid is.' Deze journalistieke dooddoener maakte het mogelijk de discussie weer op gang te brengen. Maar Sjoetov had al geen vaste grond meer onder de voeten. Zijn mooie verhaal werd als een harmonica in elkaar gedrukt waardoor alles één brij werd: de taak van de schrijver, de taliban, Tolstoj die Stendhal herlas om de slag bij de Moskva te kunnen beschrijven, de grondluchtraketten, het schoonheidsstreven dat iets obsceens wordt in een boek dat over oorlog gaat ... In de blik van de presentator verscheen een vleugje medelijden. 'Is iemand ooit in staat om in een roman weer te geven wat oorlog is?' besloot hij en met deze genadeslag kon Sjoetov het doen. Hij verstarde, met de wangen rood van schaamte en met maar één gedachte in zijn hoofd: 'Dit heeft Léa allemaal gezien!'

Voor de verwilderd kijkende stropop die hij was geworden klonken de woorden van de anderen van steeds verder weg. 'Wanneer een man zijn sekspartner streelt, begint bij haar de mediale kern van de thalamus te …' sprak de gelukspsycholoog. De op een heks lijkende jonge romanschrijfster haakte erop in terwijl ze als in trance haar ogen opensperde: 'De ander is altijd de drager van het kwaad waarvan we weigeren toe te geven dat het in onszelf zit …' Het was al na middernacht en de sfeer van onwerkelijkheid werd snel intenser. Sjoetov voelde zich minder belachelijk. Ten slotte viel de spanning van hem af en maakte plaats voor droefgeestige helderheid. Hij bedacht dat deze behoorlijk geschifte vertoning plaatsvond in een land dat de wereld hemelbestormende genieën had geschonken wier woorden ooit ballingschap, de dood hadden getrotseerd en, wat het ergste was, die zich teweer hadden moeten stellen tegen de verbetenheid van botteriken. Een profetische stoutmoedigheid, levens verbrand op het altaar van de waarheid … Zo zag hij deze grootse en oude literatuur in zijn jeugd. Nu zat daar aan het andere eind van de tafel een Chinees fijntjes te glimlachen, wiens boeken waren herschreven door een obscure redacteur (een 'schaduwschrijver' voor een Chinees, het toppunt!). Links van hem overdonderde een jonge vrouw het publiek door haar demonische uiterlijk. De man tegenover hem was een Afrikaan afkomstig uit een land overdekt met lijken, die 'schunnige verhalen' vertelde, zoals de Fransen dat noemen, ja, pikante verhaaltjes, opgesierd met een volkseigen van twijfelachtige herkomst …

Sjoetov wist niet wat opeens een einde maakte aan dat gevoel iets absurds mee te maken. Zijn buurvrouw, die vrouw met grijzend haar, had een zachte stem of beter gezegd: ze deed niets om met haar stem enig effect te bereiken. Je merkte dat ze kalm de regels van dit stomme spel had aanvaard: een vrouw met haar uiterlijk, die om middernacht als laatste mocht spreken, had geen enkele kans om het op de televisie te maken. Dromerig, met gebogen hoofd, ontweek ze de blik van alle anderen. Sjoetov kreeg het gevoel dat ze zich alleen tot hem richtte.

Het verhaal is heel eenvoudig, zei ze, een vrouw houdt van een heel jonge man die verslaafd is aan verdovende middelen. Na anderhalf jaar strijd lukt het haar hem ervan af te helpen. Een maand later ontmoet hij een meisje van zijn eigen leeftijd en gaat weg.

'Eigenlijk begint het boek als alles voor mijn vrouwelijke hoofdpersoon voorbij is. Zo gaat het, denk ik, in ons aller leven. Als je niets meer verwacht, laat het leven zien dat het belangrijkste nog moet komen ...'

Nog steeds met haar rustige stem sprak ze Sjoetov plotseling aan: 'U verwees zo-even naar Tsjechov ... Ja, hij riep ons op om het begin en het eind van een verhaal te schrappen. Ik weet niet of het middel van dokter Tsjechov een roman beter kan maken. Hoe dan ook, mijn hoofdpersoon speelt een rol in het gedeelte van het verhaal dat hij aanraadde te schrappen.'

En zonder van toon te veranderen, zonder nadrukkelijk te gaan voordragen, las ze een paar zinnen uit het boek dat open voor haar lag. Een winters bos, een vrouw die over een pad loopt dat bruin is geworden door gevallen bladeren, een bitterheid die geleidelijk wegebt, verdriet dat vreugde wordt bij elke stap tussen de in nevel gehulde rijen bomen ...

De uitzending was afgelopen. Sjoetov bleef met zijn ogen halfgesloten zitten. Een nevelig bos, een gestalte die aan het eind van een laan verdwijnt … Een technicus stootte hem aan om zijn microfoon weg te halen. Op de gang zag hij in de buurt van de grimeerruimte de vrouw met het grijze haar weer. Waarom bent u naar dit circus gekomen? Hij durfde de vraag niet te stellen, bromde binnensmonds: 'Bedankt voor Tsjechov! Dankzij u voelde ik mezelf minder stom. Maar ik weet de titel van uw boek niet meer …'

'*Na haar leven* … Ik zal het u toesturen. Het uwe heb ik toen het uitkwam gelezen. Ik heb al uw romans gelezen … Maar ik verwachtte niet u hier te zien. Waarom bent u gekomen?'

Ze glimlachten terwijl ze zich het excuus voorstelden dat schrijvers gewoonlijk verzinnen: mijn uitgever drong er heel erg op aan, ik was hier om de geestelijke afstomping een halt toe te roepen … En op dat moment zag hij Léa.

'Het was hartstikke leuk!' zei ze en ze kuste hem op zijn wang. Hij draaide zich om om haar voor te stellen aan de vrouw met het grijze haar, maar die was de grimeerruimte al binnengegaan. 'Nee, echt, het was heel goed', vervolgde Léa. 'Je kreeg zin om te gaan lezen. Vooral die Chinese schrijver was erg aardig. Alles wat hij over yang en yin zei had diepgang! Maar je buurvrouw, nou ja, die vrouw die het laatst aan de beurt was, die was echt helemaal niks. Bovendien, zag je hoe ze opgemaakt was? Het leek net …'

De vrouw die 'niks' was kwam uit de grimeerruimte en Sjoetov zag haar weglopen. Onder het lopen wreef ze met een doekje over haar gezicht en vanuit de verte had je kunnen denken dat ze haar tranen droogde.

In de taxi kwam er maar geen eind aan Léa's enthousiasme. Sjoetov overwoog dat de stomme toverkracht van de media bij hem zojuist voor een 'make-over' had gezorgd en dat wat hij voor een jammerlijke mislukking hield hun relatie misschien weer nieuw leven zou inblazen. Léa prees het optreden van de jonge heks en vond haar 'op een slimme manier net op het randje', daarna had ze het opnieuw over de vrouw die kort tevoren een paar regels uit haar boek had voorgelezen. 'Die vrouw, dat snap ik niet, een echte fout in de bezetting. Ze is oud, lelijk, kortom: niet sexy en bovendien wekte ze de indruk dat ze zich ergerde. Gelukkig had jij het over Tsjechov, dat gaf haar de kans om zichzelf wat op te hemelen …'

Sjoetov raakte Léa's hand aan en fluisterde doodkalm: 'Dat hoef je niet uit te leggen. Ik weet dat je niet zo stom bent als je je probeert voor te doen.'

Niet veel later zou hij betreuren dat hij zo weinig meegaand was geweest. Hij wist dat mensen het je nooit vergeven als je weigert deel te nemen aan een spelletje bedriegerij.

Sjoetov liet zich niet bedriegen, ook niet waar het om Léa's 'ontrouw' ging. Het woord leek tot een klucht te behoren, hij vond andere termen om het te benoemen ('ze gaat af en toe met een vriend naar bed') en benaderde de toestand liever als schrijver: doen of je neus bloedt om er niet onder gebukt te gaan en de mogelijkheid openhouden om ooit een beschrijving van de situatie te geven. Maar dat je een afstandelijke toeschouwer kunt blijven is een illusie. Hij leed eronder, doorstond dat lijden, zonk weg in wrang cynisme, kwam weer boven om elke verdenking van zijn teerbeminde weg te nemen, kortom, hij gedroeg zich als de hoofdpersoon uit een van die psychologische romans waarin schrijvers als een schoolmeester hun kennis van de menselijke ziel etaleren, het literaire genre dat hij verafschuwde.

Wat hem het beste lukte was blind te blijven, hij had al gemerkt dat dit kunstje met het ouder worden steeds minder moeite kostte.

Hij zou zich gedwongen hebben ook die avond niets te willen zien als Léa niet had besloten hem de illusie te geven dat haar liefde terug was.

Het was begin februari, bij het vallen van de avond betrok de lucht, het asfalt weerspiegelde een hele ondergrondse wereld waar je je in zou willen werpen en in zou willen verdwijnen. Sjoetov keerde terug van een afspraak (een uitgever had hem uitgelegd dat zijn boek vanwege het onderwerp onverkoopbaar was) en omdat hij niet geconfronteerd wilde worden met de mensenmassa in de metro was hij te voet naar het hogergelegen Ménilmontant teruggekeerd. Een geringe toename van verdriet kon zijn leven onverdraaglijk maken en dan ... Een gesprongen halsslagader? Een strop? Dat was allemaal goed voor een roman, terwijl in het echte leven die overmaat aan ongeluk de vorm aannam van een omgegooide vuilnisbak beneden voor hun huis, een hoorn des overvloeds waar huishoudelijk afval uit stroomde. Geen reden om je keel door te snijden, heren romanschrijvers!

Hij rook de geur van een houtvuur al op de smalle wenteltrap. Van achter de deur van het 'duivenhok' kwamen golven lieflijke muziek en voor hij zijn sleutel had gevonden raakten Sjoetovs zintuigen even in de war: op zijn zolder was een feest aan de gang, maar hij, die man in een van regen druipende overjas, bezat de goede sleutel niet meer om tot dat feestelijke leven te kunnen toetreden.

Léa had een avondmaaltijd klaargemaakt, vuur en kaarsen aangestoken, de illusie was volmaakt. Tot het nabootsen van de gesprekken over wat ze gelezen hadden, zoals ze dat vroeger deden, toe. Aan het eind van de maaltijd zei ze met een wat te enthousiaste stem: 'Ik heb net *Vanka* van Tsjechov gelezen. Het is hartverscheurend. Ik moest huilen ... nee, maar echt!'

Sjoetov bekeek haar aandachtig. Een knappe jonge vrouw die achteloos een sigaret rookte, als een poes opgerold (een afgezaagd beeld, stelde hij pietluttig vast). En twee jaar daarvoor datzelfde, wat armoedige meisje in een telefooncel op het gare de l'Est. Een opvallende maar natuurlijke verandering: de snelle aanpassing waartoe de jeugd in staat is, de kracht van een leven in volle ontwikkeling. Een studie journalistiek waar je in Frankrijk alle kanten mee op kunt, een schare vrienden van haar eigen leeftijd. En die ouder wordende man die nog nuttig was en van wie ze zich moeiteloos zou kunnen ontdoen. Een man die je op een winteravond gelukkig wilt maken door in zijn kot een paar vonken te gooien van dat jonge, heel vrije, heel intense leven ...

'Weet je, Léa, ik ben nooit zo dol geweest op Tsjechov.'

De stem van Sjoetov had een te gespannen toon, gezien de alledaagsheid van wat hij zei. Ondanks haar slaperigheid drong het waarschijnlijk toch tot haar door: 'O, ik dacht dat ... Nou ja, weet je dat dan niet meer, je zwoer bij hem! Zijn zinnen die je als een mes voelde snijden, dat zijn jouw woorden ...'

Met zijn ellebogen op tafel wreef hij over zijn slapen, daarna keek hij Léa aan en begreep hij dat ze een gezicht zag dat ergernis vertoonde omdat het de hele avond uitdrukkingen had moeten aannemen die er niet bij pasten.

'Nee, ik heb het niet over zijn stijl', antwoordde hij. 'Hij is een onovertroffen verteller, beknoptheid, oog voor detail, humor, alles zit erin. Ik neem mijn petje voor hem af! Wat me stoort is dat Tsjechov vaak meevoelend is. Goed, hij is menslievend. Hij heeft medelijden met een aristocraat die in Parijs zijn centen erdoor heeft gejaagd en naar Rusland terugkeert om in zijn dierbare kersenboomgaard te gaan zitten jammeren. Hij beklaagt drie provincialen die er niet in slagen uit hun gat weg te komen om naar Moskou te gaan. Hij betreurt het lot van grote aantallen artsen, kale jonkers, eeuwige studenten en ...'

'Maar wacht, het waren mensen die te lijden hadden! Hij laat zien dat de maatschappij hun dromen kapot heeft gemaakt, dat de onbeduidendheid van hun tijd hen verstikte ...'

'Dat klopt ... Maar snap je, Léa, Tsjechov stierf in 1904 en kort daarna, nou ja, vijftien, twintig jaar later, werden in datzelfde land waar zijn hoofdpersonen in de schaduw van bloeiende kersenbomen krachtig uiting gaven aan hun gevoel van onbehagen, ja, werden in datzelfde land miljoenen mensen beestachtig vermoord zonder dat zich ook maar één humanist bekommerde om hun "kapotgemaakte dromen", zoals jij het noemt ...'

'Neem me niet kwalijk, Iwan, nu kan ik je niet meer volgen. Je gaat hem toch niet alle doden die in de goelag gevallen zijn in de schoenen schuiven!'

'Jawel ... Of eigenlijk: nee. Natuurlijk niet! Alleen, na wat er in mijn land is gebeurd, meen ik het recht te hebben tegen Tsjechov te zeggen: beste leermeester, rouwt u maar om uw zo fijnzinnige, zo gevoelige kale jonkers, maar laat ons rouwen om onze miljoenen arme boeren!'

Hij zweeg, vervolgens stamelde hij op verzoenende toon: 'Ik had het anders moeten formuleren ...'

Het verhaal van Tsjechov, dat *Vanka* dat Léa zo in vervoering had gebracht, was een van de lievelingsverhalen van Sjoetov. Maar erover praten tijdens dat etentje, dat een nabootsing was van hun vroegere avonden, nee! Léa had van die jonge Vanka een decorstuk gemaakt in haar liefdeskomedie. Misschien wil ze me zo de bons geven. Een uit elkaar gaan zonder opzien te baren, in een weemoedig kader, om een plotselinge breuk te vermijden. Eigenlijk heeft ze me in de val gelokt en ik hapte toe. Arme schrijver, deskundige van likmevestje op het gebied van de mensenziel. Ja, een schoenmaker draagt vaak de slechtste schoenen ...

'Ik wijs je erop, Iwan, dat je er compleet naast zit. In dit verhaal gaat het niet om een kale jonker maar om een boerenjongen die als knecht naar de stad wordt gestuurd en die door zijn baas slecht wordt behandeld. Hij heeft alleen maar zijn grootvader, die hij schrijft. En omdat hij zijn adres niet weet, zet hij op de envelop: "Aan mijn opa, Konstantin Makarytsj, in het dorp". Hij post zijn brief en wacht op antwoord! Dat tafereel sloeg me knock-out! Wat me verbaast is je gebrek aan gevoel. Je bent een Rus, maar dit verhaal laat je totaal onberoerd ...'

'Ik ben geen Rus, Léa. Ik ben een Sovjetburger. Dus smerig, dom en gemeen. Heel anders dan mensen zoals Michel Strogoff en andere Mysjkinprinsen waar de Fransen zo dol op zijn. Neem me niet kwalijk ...'

Ze keek hem bokkig, vijandig aan, uit haar stem sprak dat de droeve glimlach van Sjoetov haar gestolen kon worden.

'Precies, jouw generatie Russen is zo geformatteerd door het totalitaire regime dat je niet meer met jullie kunt communiceren. Zelfs niet over gewone dingen, bedoel ik. Jullie hebben nooit geleerd ook maar een beetje verdraagzaam te zijn, het is helemaal wit of helemaal zwart en dat wordt op den duur irritant. Ik probeer je voor de zoveelste keer uit te leggen dat ...'

Léa vervolgde haar requisitoir en hij begreep al snel dat het vonnis aanstaande was: ze zou hem meedelen dat ze ging vertrekken. Ze hoefde niet eens bewijs aan te voeren, hij had het haar zelf in handen gegeven ... Deze zolder zonder haar? Een geringe toename van verdriet kon mijn leven onverdraaglijk maken ...

Hij liet alle mogelijke terugtrekkende bewegingen de revue passeren: zich verontschuldigen, lachen, doen of hij spijt had, toegeven dat het communisme hem genetisch veranderd had ... Ze was bezig te zeggen: 'Zolang dat verleden van Sovjetslavernij nog in jullie zit ... (kort moment van onoplettendheid, Sjoetov kijkt naar Léa's armen: nooit zal ze weten hoe mooi haar arm kan zijn). En omdat je je niet vrij voelt, haal je anderen omlaag, heb je geen eerbied voor hun innerlijkheid. Die Vanka die aan zijn opa schrijft, ik ben daar helemaal ondersteboven van. En jij, jou laat het volledig koud. Trouwens, we moeten eens ernstig praten, want echt ...'

Hij kuchte omdat de vele ingehouden woorden hem in de keel kriebelden en toen hij dan toch begon, haperde zijn stem, klonk die schor, uitdrukkingsloos: 'Natuurlijk, Léa, we zullen praten als je dat wilt. Maar eerst zal ik je een verhaaltje vertellen. Nogal in de trant van Tsjechov, trouwens. Ik hoorde het van een vriend. Hij was een wees en als kind stuurden ze hem met zijn kameraden eropuit om op kolchozen groenten te oogsten. Op een keer waren het een soort koolrapen die hij uit de min of meer bevroren grond moest trekken. Ze wroetten in de modder en opeens haalde mijn vriend een schedel naar boven, daarna een soldatenhelm. Hun opzichter zei hem dat hij dat naar de kolchozleiding moest brengen. Hij ging op weg, baggerde lang door de modder op het omgewoelde land, hield vervolgens halt en ... Hoe moet ik het zeggen? Hij besefte dat hij alleen op deze aarde was. Die laaghangende bewolking in het noorden, die koude akkers zover het oog reikte, hij met die schedel en die helm in een zak. Dat is heel verwarrend, snap je, voor een kind, om met zo'n volstrekte, bijna kosmische eenzaamheid geconfronteerd te worden: hij, de hemel, die modder onder zijn voeten en niemand van wie hij een liefdevol woord kan verwachten. Niemand op de hele wereld! Ook geen opa aan wie hij een brief kan schrijven ... Dus begrijp je, ik heb het wel gehad met Tsjechov en zijn Vanka. Dat jochie te midden van de velden, dat was ik, dat zul je wel begrepen hebben.'

Zijn verhaal zou uiteindelijk nergens toe dienen. Misschien droeg het net deze bijkomende reden aan hun breuk bij: de weigering het verleden te delen van degene van wie je niet meer houdt.

Een gewonde doet net zo, dat had Sjoetov in het leger geleerd. Een getroffen lichaam vecht tegen de eerste pijnscheut, kronkelt, worstelt, dan, moegestreden, verstrakt het. De laatste maanden van hun relatie gedroeg hij zich als een gewonde die zijn dans met de dood begint door hem beurtelings weg te duwen en aan het hart te drukken. Op een dag, in een café vol mensen verstrakte hij. 'Sjoet betekent in het Russisch clown,' zei Léa, 'nar.' 'Een droeve clown', voegde hij eraan toe, zich ervan bewust dat dit woord precies aangaf wat hij geworden was.

Er volgde een grauw, kleurloos voorjaar: 's nachts lege straten, dagen zonder onderscheid die voor hem om drie uur 's middags begonnen en die zolder, de enige plek waar het leek of zijn leven nog enige zin had. Dankzij die dozen die Léa nog zou ophalen.

En voor zover er een elders was, dan was het dat park van dertig jaar geleden, in herfsttooi, in Leningrad, met twee gestalten die daar langzaam liepen en bij wie het ritme van de ademhaling werd bepaald door een gedicht.

Sterkedrank droeg ertoe bij dat hij geloofde dat dat door dorre bladeren goudgeel gekleurde land nog altijd bestond. Die overtuiging werd zo sterk dat Sjoetov op een dag deed wat hem daarvoor ondenkbaar had geleken: hij ging naar een bureau dat visa regelde voor Rusland en van toen af aan pakte hij om de twee weken een koffer, reserveerde een kaartje. En vertrok niet.

Uiteindelijk had hij bewondering voor de handigheid waarmee Léa hun relatie tot vage vriendschap had omgevormd. Twee maanden nadat ze was weggegaan begon ze hem levenstekens te geven, maar al in de hoedanigheid van vroegere vriendin, aardig en uit de emotionele sfeer gehaald. Aseksueel. In die hoedanigheid belde ze hem een keer omstreeks half mei op. Haar stem schiep zo'n afstand dat Sjoetov dacht dat hij een vrouw aan de lijn had die hij in een andere periode van zijn leven had ontmoet. Aan het eind van het gesprek gaf de vroegere Léa zich bloot, maar welbewust: 'Weet je nog, die lage tafel die ik heb gekocht staat bij jou. En mijn hoekrekje ook. Ik kom met een vriend die een auto heeft. Maar ik wilde het je even laten weten … Ik heb hem verteld dat we eigenlijk niet meer dan goede vrienden waren en dat ik je die stukken huisraad alleen maar in bewaring had gegeven. Als je dat liever hebt, kan hij ook beneden blijven …'

Sjoetov protesteerde heftig, bang dat hij voor een jaloerse ouwe sok zou worden versleten. En zo zou hij de vriend van Léa te zien krijgen (een lange jongeman met een fijn, regelmatig gezicht). Hij groette hem en naar de keuken gevlucht hoorde hij hen over hun flat praten. Ze overlegden waar ze de meegenomen meubels zouden neerzetten. Zonder dat hij het wilde zag Sjoetov zichzelf in die vertrekken staan, waar je rook dat er pas geverfd was, hun wereld ... De geestdrift over het betrekken van de nieuwe woning ontroerde hem. De jongeman droeg het rekje zoals je een zuigeling draagt. En Sjoetov voelde zich vreselijk oud en teleurgesteld.

Op zijn zolder stonden nu alleen nog maar een paar dozen, een tas met kleren van Léa en twee stapels boeken. Af en toe sloeg Sjoetov een boek open en bladerde erin: liefdes en het uitgaan van relaties, vreugde en verdriet, wijsheid die traag verworven werd en, alles in aanmerking genomen, nergens toe diende. Kleine psychologische verhandelingen die de Fransen 'romans' noemen.

Hij had zelf een van die werkjes kunnen schrijven. Door Léa nu eens voor te stellen als een Rastignac in een rok, dan weer als een aan lagerwal geraakt meisje dat door een ruimhartige zwerver uit de nood wordt geholpen. Wat kon hij nog meer verzinnen? Een meisje, verdwaald in de jungle van de hoofdstad, dat cynisch profiteert, een madonna, in haar slaap beschenen door helder maanlicht ... Een meisje uit de provincie dat in Parijs zedelijk wordt bedorven, een Galatea die wordt gewekt door haar Pygmalion. Het leek allemaal waarschijnlijk, maar het was onjuist.

Er zat geen waarachtigheid meer in die korte blik: tot zijn middel verscholen achter zijn veluxraam keek Sjoetov Léa en haar vriend na die, een lage tafel dragend, de binnenplaats overstaken, je zag de achterkant van een auto die in de straat geparkeerd stond. Een avond in mei, dat jonge stel op weg naar een stralende opeenvolging van wegen, reizen, op weg naar die onvoorziene rijkdom aan kleine vreugden waaruit het leven bestaat. Het stemde hem droevig (hoe vaak had hij niet de spot gedreven met schrijvers die deze uitdrukking gebruikten!) en hij had het gevoel alles te willen geven wat hij had om dit begin van een liefde tot geluk te laten leiden! De jongelui zetten de tafel op de stoep, de jongen opende de kofferbak. En op dat moment keek Léa omhoog en haar, eerst onzekere, blik vond de zolder en het veluxraam ... Sjoetov dook gauw weg en bleef even gebogen staan, hijgend alsof hij gerend had, en hij schaamde zich ervoor dat hij een leven was binnengedrongen waarin hij niet meer bestond.

Vanaf dat moment huisde er bittere vreugde in hem: het geruste gevoel dat hij geen enkel verlangen meer had, maar heel weinig voorwerpen om zich heen had, totaal niet jaloers was. Dat hij niet meer hoefde te vechten.

Hij had heel lang kunnen leven in de rust van dat loslatingsproces. Maar een week later belde Léa met de vraag of ze de volgende dag mocht langskomen om de verhuizing af te ronden. 'Dat zal echt de allerlaatste keer zijn!' zei ze geruststellend.

De allerlaatste keer ... De dood, dacht hij, begint met die dubbelzinnige zinnetjes al ver voor het lichamelijke verdwijnen. Hij liep naar de hoek waar Léa's spullen stonden, hurkte neer, streelde de zijde van een bloes. En voelde diep in zijn binnenste iemand zitten die toch nog verlangens had, wilde beminnen ... 'Niet voor een oud meubelstuk willen worden gehouden!' riep die ander. De arm van een slapende jonge vrouw kunnen kussen.

Maar wat hij na dat telefoontje vooral begreep, was dat hij niet de kracht zou hebben om op die zolder waar alles zou worden weggehaald wat zijn leven was, zijn eigen begrafenis bij te wonen.

De namen zijn geheimzinniger dan de pictogrammen op de papyrus die door mensen heel lang geleden werd gebruikt. Adressen die niet meer kloppen, merkwaardig korte telefoonnummers. Een hele achterhaalde wereld die Sjoetov weer tot leven probeert te wekken door zenuwachtig in dat notitieboekje te bladeren dat hij van de bodem van een oude reistas heeft opgediept. De tas waarmee hij twintig jaar geleden Rusland had verlaten ... Ja, papyrus, de vergelijking is niet overdreven: sindsdien is er een land verdwenen, hebben steden andere namen gekregen en bestaan de gezichten die van achter de adressen opduiken alleen nog in Sjoetovs geheugen.

Hij werpt een blik op het raam waarachter het licht bleker wordt. Zijn besluit staat vast. Als Léa en haar vriend om tien uur 's ochtends komen, zullen ze niemand aantreffen. Het visum in zijn paspoort is nog geldig. Hij zal vertrekken zodra hij het adres teruggevonden heeft van de vrouw die ... Een gestalte die zich in de herfstzon aftekent tegen goudgele bladeren.

Ze heette Jana. Na haar studie verliet ze Leningrad om aan de andere kant van de Oeral te gaan werken. Dat is wat hij weet. Misschien kunnen de adressen in zijn notitieboekje hem, als betrof het een gecodeerde boodschap, naar deze vrouw voeren: een hele stoet van oude vrienden die hem, elkaar aflossend, de plaatsen zullen aangeven waar zij in de loop van de vele jaren verblijf heeft gehouden.

Een van hen woont in westelijk Siberië. Sjoetov belt hem,

verontschuldigt zich voor dat bijna nachtelijke telefoontje, dan beseft hij dat daarginds, aan de andere kant van de Oeral, de zon al in het zenit staat. Wat hem het meest verbaast is dat de vriend in kwestie zo weinig verbaasd is. 'Ach, je belt uit Parijs. Daar was ik in april met mijn vrouw … Ja? Jana? Ik geloof dat ze college geeft aan de universiteit van Tomsk …' Sjoetov trekt andere nummers na, spreekt met onbekenden, doorkruist drie, vijf, tien tijdzones … Maar het verrassingseffect van dat eerste gesprek blijft het sterkst: een man van zijn leeftijd, in een Siberische stad, geeft antwoord alsof het de gewoonste zaak van de wereld was, het leven gaat door en twee maanden geleden had hij die oude vriend in Parijs tegen het lijf kunnen lopen.

Vóór hem een paar velletjes papier die zwart zien van de nummers. Hij belandt tot in het Verre Oosten en in Vladivostok roept een kinderstem een grootmoeder aan de telefoon die dertig jaar geleden, in hetzelfde studiejaar als Sjoetov, in Leningrad studeerde. Dan heb ik dus de leeftijd van een grootvader, denkt hij in het besef dat zijn ballingschap hem buiten de chronologie van mensen had geplaatst. Zijn vrienden leefden, trouwden, omringden zich met kinderen en kleinkinderen terwijl hij in een leeftijdloze geestverschijning veranderde.

'Luister, Sjoetov, ik weet dat ze naar Leningrad, nou ja, Petersburg, is teruggekeerd. Ze was getrouwd met een vent die in de aardolie zat, ja, je snapt de situatie een beetje. En dat ging niet … Nee, de aardolie wel, maar hun huwelijk niet … Wacht, ik heb het telefoonnummer van haar beste vriendin, die zal je vast kunnen helpen …'

Vijf minuten later noteert Sjoetov het mobiele nummer

van Jana. Cijfers die op magische wijze de sporen bevatten van een vrouwelijke aanwezigheid in een ver verleden, van dagen vol goudgele herfstkleuren, van bekentenissen die niemand ooit durfde uitspreken.

In Parijs is het half negen, in Sint-Petersburg half elf. Sjoetov draait het nummer, maar vlak voor de telefoon zal overgaan legt hij neer, loopt naar de badkamer, houdt zijn gezicht onder de koude kraan, schudt met zijn hoofd, drinkt en schraapt zijn keel. Daarna strijkt hij voor een spiegel zijn natte haar glad. Hij voelt die merkwaardige helderheid over zich komen zoals na een slapeloze nacht, bij zeer grote spanning of nadat de alcohol is uitgewerkt. Het gevoel van een leegte waarin je je gaat storten, zoals vroeger als je uit de cabine van een vliegtuig stapte, maar zonder het geruststellende gewicht van de parachute.

Hij draait het nummer nog eens. In Sint-Petersburg gaat een mobieltje over.

De stem van een man met een vreemd ritme in zijn manier van spreken: 'De Boeing van de eerste minister is zojuist geland. In de zuidelijke delen van de stad is het verkeer ernstig ontregeld ...' een vrouwenstem, dichterbij: 'Meteen na de brug slaat u linksaf. Vermijd de Newski ...' Het duurt even voor Sjoetov doorheeft dat de mannelijke stem die van een nieuwslezer is en dat de vrouwelijke stem zich tot een autobestuurder richt ...

'Hallo, met wie? Ach, Iwan! Toevallig moest ik een tijdje geleden aan je denken en weet je waarom? Wacht, ik zet de auto even aan de kant ...'

Die onderbreking biedt Sjoetov de gelegenheid om weer tot zichzelf te komen, om te landen, denkt hij, zijn voeten raken de grond, de parachute sleurt hem mee, zakt vervolgens, neergestreken, in het gras in elkaar en dan pas is de zekerheid daar: gezond en wel.

'Ja, mijn zoon kwam je naam tegen op een site met Franse boeken. Hij verzorgt de reclame voor een uitgever. Een Russische naam, dat verraste hem, ik vertelde hem dat we elkaar kenden ...'

De alledaagsheid van de woorden is verbazingwekkend. Pijnlijk zelfs. Sjoetov voelt het als een schram: niets ernstigs, maar toch blijf je eraan denken. Hij valt de vrouw die nog niet weer Jana is geworden in de rede: 'Weet je, ik kom vandaag in Leni... in Sint-Petersburg aan.'

'Wat jammer!'

De teleurstelling is oprecht.

'Hoezo? Wil je niet dat we elkaar ontmoeten?'

Sjoetov klinkt bijna agressief.

'Zeker wel! Maar het jammere is dat je de helft van het feest al hebt gemist ... Wacht, waar kom je vandaan? De hele wereld heeft het alleen maar daarover. Het vliegtuig van Blair is net geland. De stad bestaat driehonderd jaar ... Een hotel? Dat gaat moeilijk worden. Maar daar vinden we wel wat op, ik zit in het hotelwezen. Zo niet ... Nou ja, we zien wel als je er bent. Nu moet ik ervandoor, Iwan, ik ben al laat. Let goed op mijn nieuwe adres ...'

Het vertrek van Sjoetov is een vlucht. Léa en haar vriend kunnen elk moment voor de deur staan. Hij gooit wat voor het grijpen ligt in zijn oude reistas. Schrijft een briefje, belt aan bij zijn Australische buurman, overhandigt hem de sleutel en rent om een taxi aan te houden. En op het vliegveld spreekt hij voor het eerst sinds lange jaren weer zijn moedertaal. De vertegenwoordiger van een Russische vliegtuig-maatschappij stelt hem gerust: het vliegtuig zal half leeg zijn, de grote drukte was gisteren, iedereen wilde er zijn voor het begin van de feestelijkheden.

Tijdens de vlucht voelt Sjoetov nu eens slaap, dan weer wordt hij overvallen door een gevoel van onwerkelijkheid. Hij gaat een vrouw bezoeken van wie hij zich na dertig jaar nog een verrukkelijk stilzwijgen, de duidelijke gelaatstrekken herinnert. Een heel andere vrouw rijdt nu in haar auto langs de Neva. En denkt ze aan hem? Ze werkt in een hotel (hij stelt zich een bedrijf als in de Sovjettijd voor, met een bazige vrouw aan de receptie), ze heeft een zoon, een recla-meman (hoe zeg je dat in het Russisch?), maar vooral schijnt ze niet te schrikken van de interstellaire afgrond die hen had gescheiden. Herinnert ze zich hun ontmoetingen, in die par-ken van waar je zag hoe boven de Oostzee de zon onderging?

Halverwege valt hij in slaap en neemt in zijn dromen de vraag mee die zo'n pijn doet: dus als ik niet kwam, zou het leven van de mensen die ik belde dan doorgaan zoals daar-voor? En het leven van Jana ook? Dus waarom zou ik komen?

II

In gedachten slaagde Sjoetov erin dertig jaar toe te voegen aan het gezicht van het meisje dat hij had gekend. Haar ouder te maken door een penseelstreekje zilverkleurig patina, een rastertje van rimpels … De vrouw die hem opendoet is beslist ouder geworden, maar anders. Hij had een voller, zwaarder lichaam verwacht, zoals in zijn jeugd vrouwen die niet zo jong meer waren vaak te zien gaven, omdat er in hun leven maar weinig plaats was voor verfijning. Een arbeidster aan het stuur van een wegwals, vroeger niet zo'n zeldzame situatie … Jana kust hem ter verwelkoming, waarbij ze tjilpt als een jong vogeltje, en hij moet snel visueel omschakelen om tot zich te laten doordringen dat deze vrouw tenger is, okerkleurig blond haar heeft en er jeugdig uitziet.

Ze lijkt op … Léa! De vaststelling is zo verbijsterend dat niets hem verder nog verbaast. De lengte van de gang niet en ook alle vertrekken niet die elkaar opvolgen (een gemeenschappelijke flat?), zelfs de uitnodiging van Jana niet: 'Kom, dan laat ik je de jacuzzi zien …' Ze komen in een zeer ruime badkamer waarvan de helft in beslag wordt genomen door een ovale badkuip. Rond dat roze bakbeest zijn twee loodgieters druk in de weer. 'Voorzichtig met het verguldsel, hè!' roept Jana streng en plagerig tegelijk. De mannen reageren met een geruststellend gegrom. Ze geeft Sjoetov een knipoog en voert hem mee naar een groot leeg vertrek.

'Kijk! Dit wordt de zitkamer. Zet je bagage neer, dan geef ik je een rondleiding.'

Ze vervolgen hun tocht door dit kraakheldere huis, dat

wordt verlicht door groepen halogeenspots en dat Sjoetov aarzelt 'flat' te noemen. Toen hij zijn tas liet staan voelde hij een kinderlijke angst: zou hij hem in dit doolhof wel terugvinden? Jana loopt verder, glimlacht, geeft uitleg. De keuken, de eetkamer, nog een eetkamer 'voor het geval we met de hele familie zijn', een badkamer, maar dan met een gewone badkuip, een slaapkamer, nog een slaapkamer ... Ze zegt 'wij', maar Sjoetov durft niet te vragen of ze getrouwd is ... Hij herinnert zich dat ze in het hotelwezen werkt. Gaat het misschien om een suite die ze huurt? Hij kent de Russische woorden niet om deze nieuwe werkelijkheid weer te geven.

Die tekortkoming had hij zo-even al opgemerkt. De taxi had hem achtergelaten aan de rand van een verkeersvrije zone. Hij liep, met soepele tred, nieuwsgierig, ontspannen – de houding die, dacht hij, bij zijn status paste: een buitenlander wiens kleding en manier van doen niet onopgemerkt zouden blijven. Al heel gauw stelde hij vast dat er niemand op hem lette. De mensen gingen gekleed zoals in de straten van een westerse stad, misschien iets minder slordig. En mocht hij opvallen te midden van de zomerse mensenmassa, dan kwam dat doordat zijn kleding er zo afgedragen uitzag. Van zijn stuk gebracht bedacht Sjoetov dat het best zou kunnen dat ze hem voor een zwerver aanzagen ...

'En daar, snap je, dat deel van het plafond kan straks open, zodat je de hemel ziet, je moet van elke zonnestraal profiteren, we zijn hier niet in Florida!' Sjoetov kijkt naar Jana met de aandachtige blik van een ontdekkingsreiziger die een soort moet indelen. Ze doet aan Léa denken ... Nee, er is geen gelijkenis. Ze behoort heel gewoon tot een bepaald type Europese vrouw: slank, blond steil haar, een gezicht dat net-

57

jes van rimpels verschoond is gebleven.

'Ga je hier met je gezin wonen?' Hij zou het met Jana over hun verleden willen hebben, maar eerst moet hij deze gebruikelijke vragen stellen.

'Laten we zeggen dat de verhuizing voor morgen gepland stond. Alleen ... door de feestelijkheden hebben we alles moeten verschuiven. Dus, als je hier wilt slapen ... Een goed hotel vinden, dat zal niet eenvoudig zijn. We hebben er vier in onze keten, maar gezien het aantal vips dat neerstrijkt, zul je je er als in een belegerde vesting voelen, er staan tien lijfwachten voor elke deur. Dus, welkom in mijn hutje! Twee slaapkamers zijn al zo goed als gemeubileerd ... En daar, snap je, is nog een gang. Toen we alle woningen bij elkaar trokken, hebben we een tweekamerwoning ingericht voor onze zoon. Vlad, mogen we binnenkomen?'

De jongeman die hen begroet is buitengewoon herkenbaar: een slungel in T-shirt en spijkerbroek, een blonde knul van ongeveer twintig zoals je in Londen, Amsterdam of in een Amerikaanse televisieserie zou kunnen tegenkomen.

'Whisky? Martini? Bier?' vraagt Vlad met een glimlach terwijl hij naar een dienblad wijst waarop flessen staan. Het is zover, denkt Sjoetov, daar is de tweede generatie. Rusland heeft die modes van het Westen afgekeken en vindt het nu leuk ze na te doen. Naast het raam een kapstok met daarboven een gipsen afgietsel van de warrige krullebol van Andy Warhol. Daartegenover een vuurrode vlag met in goudkleurige letters: VOORWAARTS, OP WEG NAAR DE OVERWINNING VAN DE COMMUNISTISCHE ARBEID! Een poster van Madonna en, opgehangen voor haar boezem, medailles van de laatste oorlog. Een televisie, op het scherm dat minstens een meter lang is: een auto die remt op de top van een berg met uitzicht op een toverachtig mooie zonsopgang. 'Om op tijd daar te zijn waar elk moment telt!' zegt de warme en mannelijke stem van de reclame …

Vlad gaat weer achter zijn computer zitten. Jana strijkt een kruintje in zijn haar glad. Verlegen trekt hij zijn hoofd weg: 'Hou op, mama …' Heel even verschijnt op het gezicht van de moeder een uitdrukking die Sjoetov herkent en die hem een ogenblik de adem beneemt.

'Ik ben het nagegaan,' zegt Vlad, 'u wordt in Europa niet best verkocht.' Sjoetov buigt zich naar voren en ziet stomverbaasd een foto van zichzelf. 'Ik ben niet erg … bekend, bovendien … Ik wist niet dat mijn boeken op internet stonden. Want ik heb zelf geen computer, ik schrijf met de hand, daarna typ ik het over op een schrijfmachine …'

Vlad en Jana laten een aarzelend lachje horen: hun gast heeft een wat moeilijk te vatten gevoel voor humor.

Schor gehoest in het vertrek ernaast redt hen uit deze ongemakkelijke situatie. Achter de deur die op een kier staat ziet Sjoetov behang op de muren, het voeteneinde van een bed waar een donkergroene deken op ligt, zoals je vroeger in nachttreinen kreeg …

'Dat daar, dat is net Ionesco!' roept Jana uit om zijn vraag voor te blijven. 'Nee, laat het me je vertellen. Het is ons gelukt vier gemeenschappelijke flats leeg te krijgen, en dat op twee verdiepingen. Elf vertrekken die moesten worden samengetrokken, zesentwintig mensen die elders moesten worden gehuisvest! Een onroerendgoedcombinatie die maffer was dan een schaakkampioenschap. We hebben ze allemaal weer ondergebracht, voor sommigen moest er drie keer kruiselings geruild worden. Papieren rompslomp, pietlut-tigheden, steekpenningen, en dan heb ik het nog niet eens over de details. Ten slotte waren de beide verdiepingen van ons. Op dat ene vertrek daar na. En binnen, een geschenk voor het inwijdingsfeest! Ja, die oude man (hij is verlamd aan zijn benen, de arme ziel) die al tien dagen geleden in een bejaardentehuis zou worden opgenomen. En daar komen ze, hup, opeens met dat drommelse driehonderdjarig bestaan, ze sluiten de stad af en wij zitten met die opa die niet bij ons hoort! Nou ja, overmorgen wordt hij afgevoerd. Nee, ik zeg je, het is net als in dat toneelstuk van Ionesco, weet je nog, een flat waar een lijk ligt waarvan niemand weet hoe hij zich ervan moet ontdoen ...'

Het is een bedenkelijke vergelijking en om de boel niet nog erger te maken klopt Jana op de deur: 'George Lvovitsj, mogen we je goedendag komen zeggen?' Snel fluistert ze Sjoetov toe: 'Ik denk dat hij een beetje doof is. En bovendien is hij ... de gave des woords kwijt.'

Dat 'hij is de gave des woords kwijt' is onjuist, je zou moe-ten zeggen 'hij is zijn spraakvermogen kwijt' of 'hij lijdt aan afasie'. Maar ze gaan zijn kamer al binnen.

In een bed dat bestaat uit vernikkelde buizen, iets waar-van Sjoetov dacht dat het allang niet meer bestond, ligt een oude man. Op zijn nachtkastje een kop waarin een theezakje hangt, de weerspiegeling van de dikke glazen van een dub-belfocusbril. De ogen die de blik van Sjoetov beantwoorden staan volmaakt helder. 'We hebben alles geregeld, George Lvovitsj, u zult spoedig in goede handen zijn.' Jana spreekt luid en gemaakt opgewekt. 'De dokters zullen u naar een plek midden in de natuur brengen. U zult er de vogels horen …' De uitdrukking van onverschilligheid en ernst op het gezicht van de oude man blijft hetzelfde, zonder enig blijk van ergernis of vijandigheid, zonder enige aanvechting om, aangezien hij niet kan praten, via de mimiek contact te leggen. Verstaat hij alles? Dat is bijna zeker, hoewel de enige reactie is dat hij zijn ogen neerslaat. 'Goed, rust maar uit, George Lvovitsj, als u iets nodig hebt, wat het ook is, Vlad is steeds aanwezig …' Met een hoofdknikje beduidt Jana Sjoetov dat het bezoek afgelopen is. Terwijl hij een stap achteruit doet merkt hij een boek op dat op het bed ligt: de hand van de oude man raakt het boekdeel aan alsof het een levend wezen was.

Jana doet de deur weer dicht en trekt met een zucht haar wenkbrauwen op. 'Als je van zijn generatie bent, is het beter dit ondermaanse verlaten te hebben eer alles voor de zoveelste keer overhoop wordt gehaald. Weet je hoeveel pensioen hij krijgt? Twaalfhonderd. Roebel. Veertig dollar. Als je dan je spraakvermogen nog niet kwijtraakt. Hij die tot in Berlijn heeft gevochten. Maar ja, dat zegt tegenwoordig niemand meer iets! Het is trouwens ontzettend jammer dat je zijn stem niet meer kunt horen, hij was zanger van beroep. Zijn buren vertelden me dat hij tijdens de oorlog, nou ja, tijdens het beleg van Leningrad, met een heel koor rondtrok om voor de soldaten te zingen …'

Ze loopt weer verder, blijft voor een open raam staan. Een heldere en koele avond in mei, een merkwaardig herfstgevoel. 'Snap je, toen we jong waren hadden we geen tijd om met mensen zoals hij te praten, en nu kan hij niet meer praten …'

Sjoetov maakt zich op om te vertellen waarom hij is gekomen, om jeugdherinneringen op te halen … 'Raad eens wat dit is?' vraagt Jana, nu weer met haar stem van gids. Een grote marmeren hand die in de hal van de flat op een pronktafeltje ligt. 'Dat is de hand van Slava!' Als Sjoetov laat merken dat hij het niet begrijpt, trekt ze verbaasd met haar mond, alsof het niet herkennen van 'de hand van Slava' van een duidelijk gebrek aan smaak getuigde. 'Ja, de hand van Rostropovitsj. Hij is een vriend. En ik ben zelf op het idee gekomen. Tegenwoordig heeft iedereen visitekaartjes en ik dacht: dan kunnen onze gasten hun kaartje in die hand leggen … Gewoonlijk zetten mensen een ding van aardewerk neer, maar een hand is veel origineler …' Sjoetov bedacht dat hij in zijn jeugd nooit iemand in Rusland een visitekaartje tevoorschijn had zien halen. Ja, hun jeugd …

'Weet je, ik ben niet voor het feest gekomen …' zegt hij met een wat lompe nadruk. 'Ik dacht dat …' Het mobieltje van Jana gaat. 'Ja, ik kom eraan, ik zat in een file. Want heb je de chaos gezien? Over een kwartier ben ik er …'

Ze laat Sjoetov de twee slaapkamers zien waaruit hij kan kiezen en gaat er hollend vandoor. Eigenlijk was deze rondleiding ook een ontwijkende beweging. Jana praatte, lachte, richtte het woord tot anderen alsof ze bang was voor wat hij mogelijk over hun verleden ging zeggen. Hoe zou hij het trouwens moeten aanpakken om die dagen in een ver verleden die hen nog verenigen ter sprake te brengen? 'Ik hou van je, Nadenka …' Sjoetov glimlacht. Ja, hij zou Tsjechov kunnen aanhalen.

Hij verlaat de flat vijf minuten na Jana. De feestende stad trekt hem aan, zuigt hem naar zich toe, duwt hem in de richting van een leven waarin hij weer zichzelf zal zijn, de taal sprekend die hij in zijn kindertijd sprak, opgaand in een mensenmassa waartoe hij door zijn afkomst behoort. Hij voelt zich een oude toneelspeler die na te lang een stuk te hebben gespeeld (mijn leven in het Westen, denkt hij) zich van zijn schilderachtige lompen ontdoet en in de massa onderduikt.

Niet ver van het Admiraliteitsgebouw versperren politieagenten hem de weg. Hij loopt om en komt weer bij een afgesloten straat. Hij gaat richting Paleiskade en wordt teruggedrongen de Millionnajastraat in. Hij probeert te onderhandelen, vraagt vervolgens naïef om uitleg, vertrekt ten slotte, doet niet langer moeite om op de plek te komen waar de feestelijkheden plaatsvinden. Het feest is in volle gang, heel dichtbij, slechts een paar huizenblokken verderop, maar onbereikbaar, als bij een tocht over kronkelwegen in een nare droom. 'U had de kranten moeten lezen', mompelt een van de politieagenten. 'Daarin stonden alle afgesloten wijken aangegeven ...'

Hij loopt verder, geleid door steeds vager wordende herkenningstekens. Het fluiten en het licht van vuurwerk, een windvlaag vanaf de Neva, vinnig alsof het herfst was ... Of die twee stelletjes die lopen te kibbelen en de weg naar het feest lijken te weten. Hij staat op het punt om ze aan te spreken, maar ze stappen in een auto en rijden weg ...

Hij is zo moe dat hij bij de Zomertuin gekomen het hoge hek eromheen voor een volgende versperring aanziet. Hij omklemt de spijlen en tuurt met een gespannen gezicht in het donker waar zich de geurige lanen bevinden. Het gebladerte is teer zoals altijd tijdens dit kortstondige wachten op de zomer. Hij moet zich concentreren om de woorden die hij al zo lang in gedachten had met gepaste ernst te laten klinken: 'Dertig jaar geleden, onder deze zelfde bomen ...'

Hij hoort gejammer, maakt zich los van het hek, aarzelt over wat hij moet doen. De jonge vrouw die hij ziet lijkt dronken. Of liever: ze heeft zojuist in een stuk glas getrapt en zich verwond. De straten waar feest gevierd wordt liggen vol glasscherven. 'Je zou rubberlaarzen moeten dragen ...' kreunt ze. Sjoetov zegt dat ze op de stenen rand van het hek moet gaan zitten, pakt de voet met de snee en reinigt de wond met het doekje dat ze hem in het vliegtuig hebben gegeven. Het meisje zal zo'n zeventien, achttien jaar zijn. Zo oud was Jana toen, denkt hij. Uiteindelijk heeft hij het goed gezien: ze is dronken, ze waggelt, hij moet tot de metro met haar meelopen. Hij gaat samen met haar naar beneden. De trein komt zo snel dat ze geen tijd hebben om ook maar een woord te wisselen. Hij ziet haar zitten achter de deuren die weer dichtgaan, al helemaal verdiept in een leven waarin hij geen enkele rol speelt. En toch voelt hij in zijn hand nog de tere afdruk van die slanke gewonde voet.

Pas na middernacht is hij terug bij de nieuwe flat van Jana. Vlad doet open met zijn mobieltje tegen zijn oor. Het gesprek wordt in het Engels gevoerd: de jongeman praat met een klant in Boston. Zonder zichzelf te onderbreken neemt hij Sjoetov mee naar de keuken, wijst hem waar de koffiezetter staat, opent met een uitnodigend gebaar de koelkast, glimlacht en loopt weg.

Sjoetov eet een hapje, verbaasd over de verscheidenheid aan levensmiddelen, over de kwaliteit van de koffie. Zo'n soort flat, dit eten, dat is wat Russen zich in de Sovjettijd voorstelden als ze het over het Westen hadden … Dat was het, ze hadden de westerse kwintessens herschapen op een manier die hij in het Westen nooit echt gekend had. De paradox helpt hem om zich minder ouderwets te voelen.

Hij gaat op zoek naar de slaapkamer die Jana hem had toegewezen, verdwaalt, glimlacht: en als ik daar eens zou gaan slapen, op de deurmat, in de toegangshal tot deze nieuwe wereld? In de grote badkamer blinken de kranen als kostbare museumstukken. 'Het goud van de Scythen …' mompelt hij en hij loopt terug.

Hoe moet hij dat nieuwe leven beoordelen? Moet hij er blij om zijn? Moet hij de zucht naar materialisme die het te zien geeft betreuren? Overigens zal dat overweldigende materialisme bij de jeugd over tien jaar wellicht geen enkele opwinding meer teweegbrengen. Neem Vlad, die op een leren bankje voor de televisie hangt. Hij lurkt aan een biertje terwijl op het scherm, bijna in dezelfde houding, een jongeman een blond meisje omhelst, wier schouder wordt ontbloot op het ritme van hun zuchten. Reclame onderbreekt het liefdesspel: je ziet een met shampoo verrijkte haardos wapperen, een kat werpt zich op de felrode inhoud van een conservenblikje, een sombere donkerharige man snuift de geur van zijn kop koffie op, een auto rijdt het beeld binnen van een zonsopgang … Sjoetov herhaalt de slogan die hij heeft onthouden: 'Om op tijd daar te zijn waar elk moment telt!'

De deur van het vertrek van de oude man die niet meer kan praten staat op een kier. Een bedlampje, een deken, de omtrekken van een roerloos lichaam. En opeens het ritselen van een bladzijde. Naar binnen gaan? Met hem praten, ook zonder de hoop op een reactie? Of gewoon welterusten zeggen? Sjoetov aarzelt, dan hervat hij zijn tocht: als hij bij Vlad begint, herinnert hij zich de route beter.

In zijn slaapkamer ontdekt hij wat hem tijdens de rondleiding was ontgaan: die boeken in een groot boekenrek van zilverkleurig hout. Russische en buitenlandse klassieken in luxe-uitgaven. Rijkelijk generfd leer, goud, papier dat de vingers een zinnelijk genoegen schenkt. Poesjkin, Gogol, Tolstoj … Hij pakt een boek van Tsjechov. Het verhaal dat hij zoekt staat erin. Twee geliefden, hun afdaling in een slee. 'Ik hou van je, Nadenka …'

's Ochtends loopt Sjoetov met Jana mee, die pratend in haar mobieltje talloze nuttige handelingen verricht: ze vangt een struikelend kind op, wijst arbeiders op vlekken op het marmer in de badkamer, zet een waterkoker aan voor het ontbijt, trekt de rok recht die het vriendinnetje van Vlad aan het passen is ... Als haar blik die van Sjoetov kruist, glimlacht ze, schudt met haar hoofd, waarmee ze wil zeggen: 'ik sta over een tel tot je beschikking' en de werveling begint opnieuw, de arbeiders willen haar advies over de kleur van een stopverf, Vlad vraagt om geld, een vrouw die met een bundel kleren zeult deelt mee dat de kamer van de oude man morgen zal worden ontruimd. Dat alles belet haar niet om per telefoon instructies te geven: 'Maak de zesentwintig klaar want hij heeft een grote kamer nodig ... Die moet maar tevreden zijn met een standaard kamer ... En wat dan nog? Er zitten vijftien ministers in onze hotels. Als ze allemaal om suites gaan vragen ... Laat Poetin ze maar onderbrengen in zijn Constantijnpaleis! Goed, geef hem een andere kamer, maar de anderen niet ... Hou me op de hoogte!'

Voor het volgende telefoontje komt, kan ze Sjoetov net even de naam noemen van het restaurant waar ze kunnen lunchen om 'eindelijk bij te praten'. Ondanks het stereotiepe ervan ontroert de uitdrukking hem, hij stamelt een te lange, te nostalgische zin die totaal niet past bij het gejaagde tempo van de ochtend. Ja, zoiets als: 'Op dat pad in de Zomertuin, weet je nog? ...' Jana maakt een kusbeweging in zijn richting en holt naar de lift, terwijl ze in haar telefoon roept: 'Het bereik is slecht hier, ik bel je in de auto terug.'

De energie die van dit nieuwe leven uitgaat werkt prettig aanstekelijk, een antidepressivum dat Sjoetov in een nog sterkere dosis op straat opnieuw tegenkomt. Hij voelt zich opeens jonger, bijna als een kwajongen, snelt toe om een bal te pakken te krijgen die een kind laat glippen, geeft de moeder een knipoog. Koopt een ijsje, wijst twee verdwaalde jonge toeristen de weg. En op de Nevski aangekomen, ervaart hij het als een wonder: hij gaat helemaal op in de menigte feestvierders die optrekt naar het Winterpaleis en het voelt als een lichamelijk erbij horen, een fysieke aansluiting.

Het is een ... gezichtstransplantatie! Het beeld is heftig maar het drukt precies uit hoe hij het beleeft. De huid van zijn nieuwe gelaat herstelt door de blikken die op hem gericht worden te midden van de mensen die glimlachen, roepen, elkaar omhelzen. Ja, een man die een transplantatie heeft ondergaan voelt waarschijnlijk dezelfde mengeling van angst en vreugde als hij de straat op gaat: zullen ze het zien? Zullen ze me uit de weg gaan? Zullen ze me medelijdend aanstaren? Blijkbaar niet, er valt hun niets op. Ze glimlachen tegen de man die ik eigenlijk niet ben. Ik heb dus opnieuw het recht in hun midden te leven.

In het begin loopt Sjoetov inderdaad met de omzichtigheid van zo'n getransplanteerde. Maar al heel gauw bevrijdt de gekte van wat er om hem heen gebeurt hem van elke angst. De muziek van een aantal orkesten maakt zo'n lawaai dat men met elkaar communiceert via gebaren, via het lichaam. Overigens is de enige boodschap die men aan elkaar wil doorgeven dat men van de ene in de andere verbazing valt. Boven de mensenmassa zweeft een reusachtige opblaaskoe met acht poten, haar enorme uier besproeit de gillende slenteraars, die de stralen proberen te ontwijken en hun paraplu's opsteken. Iets verderop wordt de menigte doorsneden door een stoet dubbelgangers van Peter de Grote: militaire mantel, driekantige hoed, snor als van een woedende kat, wandelstok. De meesten hebben een lengte die, in de verte althans, doet denken aan de twee meter twintig van de tsaar, maar er zitten ook kleintjes bij en zelfs een vrouw die als tsaar is verkleed. Op een kruispunt vloeit dit regiment samen met een groep bijna naakte 'Braziliaanse danseressen', getooid met een verenkleed. De uniformen van de tsaren strijken langs de lange bruine dijen, schampen de halfronde, dikke achtersten. En reeds worden ze opgevolgd door hovelingen met pruiken op, de brede straat raakt versperd door hoepelrokken, de hoge gepoederde kapsels weerkaatsen de zon. Hun roomkleurige kleding maakt plaats voor een nieuw opblaasmonster. Een dinosaurus? Nee, een schip. Sjoetov leest op de boeg: AURORA. 'De kruiser van de Oktoberrevolutie', legt een moeder haar zoon van een jaar of twaalf uit ... De tijden zijn echt veranderd als dat historische kanonschot, waar kinderen vroeger al op de kleuterschool van hoorden, nu iets nieuws is dat geleerd moet worden. Dat vergeten is verfrissend: ja, laat ze met rust met jullie oorlogen en revoluties!

De luidsprekers die dwars door het muzikale tumult heen klinken, lijken Sjoetov gelijk te geven: 'Wij roepen de Grote Meirevolutie uit. Komt allen naar het Paleisplein waar de burgemeester van Petersburg onthoofd zal worden!' Er barst gelach los, maskers vertonen lelijke gezichten, een nieuwe Peter de Grote verschijnt, deze keer te paard, hoog boven de menigte.

En helemaal beneden, bijna op de grond, weerklinkt een schelle stem: 'Laat me erdoor, ik ben te laat! Uit de weg!' Een dwerg, al op leeftijd, verkleed als nar om een koning, veeleer een tsaar te vermaken. Het mannetje beweegt met dribbelpasjes heen en weer, duwt de menigte met zijn korte armen opzij. Een van de 'Braziliaanse danseressen' loopt met hem mee, maakt de weg voor hem vrij door met haar veren en armbanden te schudden. Ze worden duidelijk verwacht op het Paleisplein en hun verwarring is tegelijkertijd komisch en aandoenlijk. Een clown, denkt Sjoetov, terwijl hij voor het ventje opzijgaat. Een sjoet ... De halfnaakte danseres botst tegen hem aan, haar veren kietelen zijn wang, hij voelt de kracht van dat jonge geurige lichaam, maar de blik van de vrouw verraadt vreemd genoeg droefheid.

'En jij, pummel, hoe durf je om niet te lachen net als iedereen? Een hoofd zonder glimlach hoort op een hakblok thuis!' Sjoetov probeert zich van de handen te ontdoen die hem vastpakken, dan speelt hij het spelletje mee. Als beulen verklede toneelspelers komen om hem heen staan, hij herinnert zich de instructie die de luidsprekers steeds doorgeven: wie zich niet opgewekt toont is een vijand van het feest en moet worden onthoofd. De onthoofding heeft niets wreeds: een straf waar om gelachen wordt, een plotselinge beweging met een plastic bijl, aanmoedigingen van de mensenmassa ... Een van de beulen vraagt hem: 'Nee maar, bent u al lang niet meer in Petersburg geweest?' Maar hij wacht het antwoord niet af en gaat snel op jacht naar anderen die ongevoelig zijn voor de vrolijkheid.

Op het Paleisplein aangekomen begint Sjoetov het geheim van de veranderingen te doorgronden. Een fontein van krachten die lange tijd zijn samengeperst. Opwinding over nieuwe bestaansmogelijkheden na de zeer dwarskoppige waanzin van de dictatuur. Hij ziet de burgemeester het schavot beklimmen: ja, de burgemeester van Sint-Petersburg in eigen persoon! (Zou zoiets in Parijs, in New York mogelijk zijn?) Rotjes ontploffen, de menigte laat een langdurig gejoel horen, de burgemeester glimlacht, bijna gevleid. Een beul zwaait met … een reusachtige schaar, brengt hem naar de hals van de veroordeelde, grijpt zijn stropdas en knipt die af! Een golf van verrukking gaat over het plein bij het zien van de trofee, die trots wordt getoond. Uit een luidspreker klinkt gesmoord gelach: 'Een das van Gucci!' Sjoetov betrapt zichzelf erop dat hij meeschreeuwt met de anderen, dat hij met onbekenden high fives uitwisselt, dat zijn lichaam één is met talloze levende mensen. De kleine nar van zo-even klimt hijgend op de troon en een hoogwaardigheidsbekleder in een staatsiemantel roept hem uit tot bestuurder van de stad.

Collectieve duivelbezwering, denkt hij en hij gaat op weg naar zijn afspraak met Jana. In de drie dagen dat deze komische Meirevolutie duurt tientallen jaren schrikbewind ongedaan maken, het bloed van de echte revoluties wegwassen, je oren verdoven met het lawaai van rotjes om dat van de bommen te vergeten. Die vrolijke beulen in de straten loslaten om de gestalten te laten verdwijnen die 's nachts nog niet eens zo lang geleden op de deuren kwamen bonzen, slaperige mensen naar buiten sleurden en ze in zwarte auto's gooiden.

Achter het Winterpaleis een bordje waarop staat: FAMILIE-PORTRET. Op vouwstoeltjes gezeten een Peter de Grote, een Lenin, een Stalin en, na een betreurenswaardige leegte, een Gorbatsjov met midden op zijn kale hoofd een vlek geschil-

derd. Stalin praat met een pijp in zijn mond in zijn mobieltje. Een Nicolaas II en een Brezjnev (ontbrekende schakels)
sluiten zich beladen met sixpacks bier bij de groep aan. Gelach, flitslichten. De impresario, een jonge vrouw in mini-
rok, stapt op de menigte af: 'Vooruit, dames en heren, een
kleinigheidje voor de verliezers van de Geschiedenis. Dollars
zijn welkom ...'

Eindelijk zijn ze erin geslaagd de bladzijde om te slaan,
denkt Sjoetov. Het idee om als een verdroogd bloemblaadje
tussen de voorafgaande bladzijden te blijven liggen wekt bij
hem het verlangen om te rennen, om de tijd in te halen.

'Heb je geen tijd gehad om andere kleren aan te trekken?'
  'Nee ... Het punt is, ik heb alleen maar dit jasje bij me ...'
  'O, zit het zo ...'

Muziek overstemt hun woorden. Hij glimlacht beschaamd
en pakt de revers van zijn jasje.

Uitgelubberde zakken, een verbleekte kleur ... Het personeel van het restaurant kent Jana en begroet haar eerbiedig.
Sommige gasten geven haar een teken van herkenning. Ze is
onder haar gelijken, denkt Sjoetov zonder er een idee van te
hebben volgens welk criterium de selectie tussen die 'gelijken' en anderen in het nieuwe Rusland plaatsvindt: gewoon
vriendschap? Beroep? Politiek?

Ze zitten op een terras dat uitkijkt op een park en daar
komt ook de uitbundig vrolijke muziek vandaan, die her-
rie is dus niet de schuld van het restaurant, verontschuldigt
de ober zich bij hen. 'Ach, dat driehonderdjarig bestaan ...'
verzucht Jana.

Ze zouden moeten schreeuwen om elkaar te kunnen verstaan, maar wat Sjoetov zou willen zeggen leent zich er niet voor om luid uitgesproken te worden. Dus doen ze zoals de anderen: glimlachen, eten, daarna schreeuwen en druk gebaren. Dankzij dit met horten en stoten verlopende gesprek hoort hij waarvan hij al op de hoogte was: het leven van Jana na hun onuitgesproken kortstondige liefde. Werk, huwelijk, geboorte van een zoon, scheiding, terugkeer naar Leningrad dat weer Sint-Petersburg was geworden …

De woorden die in hem gonzen zijn te zwak, ja, verzwakt door de jarenlange scheiding, om door het lawaai heen te dringen. 'Weet je nog, die avond in Peterhof,' zou hij willen zeggen, 'die goudgele nevel boven de Finse Golf …' Hij hoort ook iets wat hij nog niet wist: de hotelketen waarvoor Jana werkt is haar eigendom! Nou ja, niet speciaal van haar, maar van die geheimzinnige 'wij' over wie ze het heeft als het over haar leven gaat. Het echtpaar dat ze vormen? Hun familiebedrijf? Meer dan de muziek is het dat niet benoemen van bepaalde zaken wat een juist begrip moeilijk maakt.

Opeens houdt het lawaai op. Een verwarrende stilte, je hoort het ruisen van de bladeren … En mobieltjes die overgaan, alsof ze hebben gewacht op deze pauze. Nee, gewoon omdat de mensen ze niet hoorden. Ze antwoorden allemaal tegelijk, blij dat ze weer gewoon kunnen praten.

Jana wordt ook gebeld en Sjoetov kan al raden wie haar gesprekspartners zijn aan de toon waarop zij ze te woord staat. Die wat geërgerde stem richt zich tot medewerkers van een van 'haar' hotels. Een pruilerige en aanstellerige klank geeft aan dat ze spreekt met een man die van zijn slechte humeur afgeholpen moet worden en die tot die vage maar belangrijke 'wij' lijkt te behoren. Haar vriend waarschijnlijk. Of een echtgenoot voor wie die geliefde van dertig jaar geleden verborgen moet worden gehouden? Nee, dat zou te stom zijn ...

Ze bergt de telefoon op en hij hoopt haar eindelijk het doel van zijn komst te kunnen toevertrouwen. 'Morgen vieren we de inwijding van het nieuwe huis', zegt ze. 'Alleen maar een glas champagne – er staan niet eens tafels in die troep, je hebt het gezien. En 's avonds is iedereen uitgenodigd in ons buitenhuis ... Mensen die in Petersburg echt meetellen. Ik weet niet of je dat interessant zult vinden, je kent niemand ... Waarschijnlijk komt de burgemeester ...' Die kent Sjoetov wel: de 'onthoofde' wiens Gucci-das ze hadden afgeknipt ...

Een echtpaar komt naderbij om Jana te begroeten. Snelle taxerende blikken op Sjoetov: wie is dat? Een Rus? Maar niet chic genoeg gekleed voor deze plek. Een buitenlander? Maar zonder de vlotheid die westerlingen in hun contacten tentoonspreiden. Dat oordeel leest Sjoetov in hun blik. De verlegenheid die hij bij Jana meende te bespeuren lijkt hem begrijpelijk: hij is niet in een hokje te stoppen, het is moeilijk om hem aan vrienden voor te stellen, in het mondaine leven heeft hij geen duidelijk profiel. Als het echtpaar wegloopt, wendt hij de ongedwongenheid van oude vrienden voor: 'En die datsja, waar hebben jullie die laten bouwen? Ik zou er best even willen aanwippen.' Jana aarzelt alsof ze er spijt van heeft dat ze de uitnodiging ter sprake heeft gebracht: 'Het is een oud sparrenhouten hutje. Het stuk grond is wat klein voor ons, nauwelijks drie hectare. Aan de Finse Golf ...'

Een man blijft voor Jana staan, spreekt haar aan. De goudgele nevel boven de Finse Golf ... herinnert Sjoetov zich.

Het is een knappe man, jong (nog geen veertig of beter gezegd met het rimpelloze en gebruinde uiterlijk dat degenen die er het geld voor hebben weten te behouden). Een aantrekkelijk droefgeestig kalf, denkt Sjoetov (Léa noemde dat ooit zo en ze hadden er samen om moeten lachen ...). Hij neemt zichzelf die hatelijkheid kwalijk. Nee, deze aantrekkelijke droefgeestige man voldoet aan de Amerikaanse normen van mannelijkheid, Fransen hebben het in zo'n geval over een held uit een B-serie ... Een zomerkostuum van onberispelijke snit, de houding van een verleider die begrip heeft voor de zwakheid van zijn slachtoffers. Jana laat een stem horen die Sjoetov niet van haar kent: opgewekte onverschilligheid waarin iets kwetsbaars, iets van door liefde ingegeven verwarring doorklinkt. Vooral haar gezicht, haar ogen die ze naar de man opslaat drukken dat uit: de angst van een vrouw die een dierbare in een menigte is kwijtgeraakt. De muziek zet weer in, ze staat op, gaat naar de man toe en dat die liefde bezorgdheid verraadt is nog duidelijker zichtbaar als je niet meer kunt horen wat ze zeggen.

Dat moet haar minnaar zijn ... De hardheid van de constatering ergert hem, maar hij heeft geen zin meer om zichzelf iets wijs te maken. De goudgele nevel boven de Finse Golf ... Het was dwaas om te denken dat ze zich dat nog herinnerde. Hij denkt weer aan de verschillende stemmen waarvan Jana zich bedient als ze tot haar medewerkers, tot haar echtgenoot, tot die aantrekkelijke droefgeestige man spreekt. Ze leidt een aantal levens naast elkaar en je ziet hoe dat haar opwindt. Hier staat ze tegenover haar minnaar, zij veel kleiner dan hij, en haar hele lichaam verraadt de houding van de vrouw die zich aanbiedt. Sjoetov voelt zich een beetje het vijfde wiel aan de wagen.

De man beroert met zijn lippen heel even de wang van Jana en neemt afscheid. Ze gaat weer zitten, kijkt naar Sjoetov met een blik die straalt maar niets ziet. Ze drinken zwijgend hun koffie … Terwijl hij met haar meeloopt naar haar auto heeft Sjoetov de neiging tegen haar te zeggen dat ze voorzichtig moet zijn, zozeer lijkt ze met haar gedachten elders. Maar ze heeft zich alweer in de hand, ze moet 'opeens gauw naar een aandeelhoudersvergadering' en ze raadt Sjoetov aan te voet naar huis terug te keren, 'je neemt de hoofdlaan en slaat linksaf, weet je nog?' Ze start de auto terwijl hij aan een zin begint over hoe goed hij zich die lanen herinnert met bomen in herfsttooi …

Bij het verlaten van het park komt hij de 'Braziliaanse danseressen' tegen. Ze zijn zich in een bestelbusje aan het omkleden. Sjoetov herkent het meisje dat zo-even holde om de weg voor de nar vrij te maken. Ze heeft haar verenpak uitgetrokken, de schmink afgewassen, ze heeft een heel jong gezicht en ze kijkt een beetje droefgeestig, net als eerder. Vreemd genoeg ziet Sjoetov er een genegenheid in die voor hem bestemd leek te zijn …

Terwijl hij de deur van Jana's nieuwe flat openduwt, hoort hij de stem van Vlad: 'Luister, het is heel eenvoudig. We hebben twee topless meisjes nodig voor het achterplat. En daarna bel je de redactie en als ze weigeren hem bij het artikel te plaatsen, trekken we onze advertentie terug en dat is alles …' Nieuwsgierig geworden gaat Sjoetov op de stem af. Als hij langs het kamertje loopt waar de oude man huist, ziet hij dezelfde groene deken en een hand die een boek vasthoudt.

Elke titel bevat een vrouwelijke voornaam: *Tatiana of de vuurbedwingster*, *Deborah en de alchemist van het genot*, *Bella, een vrouw die geen taboes kent* ... Vlad laat Sjoetov de nieuwe reeks zien die zijn uitgeverij op de markt heeft gebracht. Het principe hebben ze gegapt van Nabokov, *Ada of de hartstocht*, geeft hij toe, maar Nabokov had het zelf weer ontleend aan vrouwenromans ... De jongeman spreekt een taal die Sjoetov in Rusland nog nooit heeft gehoord. 'Marktonderzoek', 'boekpromotie', 'de verkoop stimuleren' ... Voor de nieuwe reeks moest heel goed gekeken worden naar de 'doelgroep', die is gelukkig vrij groot: lezeressen van dertig tot vijftig, 'niet erg intellectueel' (uit de mond van Vlad is dat een compliment) en, voor een heel kleine minderheid, mannen 'die op seksueel gebied wat geremd zijn' en die deze boeken stiekem zullen lezen.

Bij het zien van het verbijsterde gezicht van Sjoetov haast Vlad zich eraan toe te voegen: 'Goed, we hebben ook serieuzere *brands*!' En hij somt reeksen op die historische romans, familiekronieken, politieke fictie bevatten ... Maar het is het woord 'brand' dat Sjoetov in verwarring brengt. Vlad vertaalt: 'Dat is ... hoe zeg je dat in het Russisch? Nou ja, dat zijn ... Ja, merken, etiketten. Snapt u, al die Bella's en Tatiana's, die moet je met tussenpozen uitbrengen, zo schep je een leesbehoefte, een verslaving zo u wilt. Het probleem is dat die boeken ieder een omvang van ruim vijfhonderd bladzijden hebben. Dat tempo kan geen enkele schrijver bijhouden. Tenzij je een stakhanovist, een werkezel bent, zoals mijn opa zei. Dus werken ze met een aantal onder dezelfde naam, bij voorkeur een Amerikaanse naam. Dat is een brand …'

Vlad stelt vast dat zijn uiteenzetting Sjoetov nog bezorgder stemt. Hij bukt zich, pakt een paar exemplaren die rondslingeren op het tapijt. 'Ziet u, dit is toch degelijk spul …' Sjoetov neemt de titels door. *In de alkoven van het Kremlin. Stalin, tussen Onze-Lieve-Heer en de duivel. Nicolaas II, de onschuld van een martelaar* …

'Weten jullie zeker dat hij echt onschuldig was?' Sjoetov stelt de vraag in een poging om van zijn verdoving af te komen.

'Maar … natuurlijk, ze hebben hem onlangs zelfs heilig verklaard!'

'Omdat hij Rusland naar de revolutie heeft gevoerd …'

'Absoluut niet, wacht even, de revolutie was een in het buitenland beraamde samenzwering. Hier, dit boek is daar duidelijk over …'

Dreigende gestalten op een bloedrode omslag. *De occulte krachten van de Revolutie.* Sjoetov glimlacht.

'Hu, dat is om bang van te worden!'

'Dat was ook de bedoeling. En dan hebt u de advertentie nog niet gezien die ik voor de verschijning heb gemaakt. Dat was een Russische monnik die voor een icoon bidt met om hem heen duivels die een wilde dans uitvoeren …'

'Dat staat allemaal een beetje ver af van de historische waarheid. Vooral als uw monnik leek op Raspoetin …'

'De waarheid, die wordt door geschiedkundigen elke dag herschreven. Wat voor ons van belang is, is een waarheid aan te bieden die de lezer ertoe aanzet zijn portemonnee tevoorschijn te halen. Weet u wat de lijfspreuk van mijn baas is? "Alleen blinden hebben een excuus om onze boeken niet te kopen!" En dat is bijna waar. Maar daarvoor moet je fantasie hebben. Toen we dat boek over Stalin op de markt brachten, spoorde ik een werkster op die in zijn datsja aan de Zwarte Zee gewerkt had, je houdt het niet voor mogelijk! Het is een oma die nu honderd is en ondanks dat is het me gelukt haar aan een televisie-uitzending te laten meedoen en de journalist (nou ja, dat was een van onze auteurs) stelde zodanige vragen dat je kon denken dat ze de minnares van Stalin geweest was. De volgende dag waren we door onze voorraad heen. Dat is historische waarheid. Of neem nou die Bella die geen taboes kent. Dat gaat over een bordeel dat vaak door de Moskouse onderwereld wordt bezocht. Nou goed, voor de presentatie op de televisie hadden we vijf prostituees opgetrommeld, die alles bevestigden wat de schrijver vertelde …'

Vlad wordt steeds enthousiaster, Sjoetov komt armen tekort om rollen affiches in ontvangst te nemen, foto's op groot formaat, Nicolaas II met om zijn hoofd de stralenkrans van iemand die net heilig is verklaard, Stalin met op de achtergrond een vrouwengestalte, een gangster die met de loop van zijn pistool de kraag opzij duwt van een bloes die felroze, enorme borsten verhult.

Steeds datzelfde feest, denkt Sjoetov en opnieuw voelt hij sterk de roes van de verandering. Wat een energie zit er in die jonge Vlad! En dat goedmoedige cynisme. Hij verkoopt boeken zoals hij stofzuigers zou verkopen. Al die uitgeverijen zijn pas een paar jaar geleden opgericht! En nu al die bedrijfsvoering op z'n Amerikaans …

Opeens ziet Sjoetov in die armvol documenten een gezicht op een park, beelden onder bomen in herfstkleuren. De Zomertuin … De foto gaat schuil tussen een waaier van kleurenfoto's: vrouwen die elkaar omhelzen, mannen die elkaar innig kussen …

'Dat is onze reeks voor seksuele minderheden,' licht Vlad toe, 'ik zei u al, niemand mag ons ontsnappen!' Hij lacht.

Sjoetov herinnert zich de beulen op het feest die hem kort tevoren onthoofd hadden: dat is het, niemand mocht zich droefgeestig tonen. De vergelijking is verleidelijk.

'Weet je, Vlad, vroeger, nou ja, toen ik jong was, werden er heel wat dichters uitgegeven. De oplagen waren niet geweldig, maar toch was er sprake van – hoe moet ik het zeggen? – ja, een ware geestdrift bij ons die deze op vaak heel slecht papier gedrukte boeken lazen. De dichtkunst, dat was onze Bijbel …'

'Ja, ik begrijp over wat voor soort boeken u het hebt, oude mensen noemen dat met een zucht "de grote literatuur". Luister, ik zal u zeggen hoe ik daarover denk. Ik ontmoette een keer een meisje, een Amerikaanse die hetzelfde werk deed als ik. En ze begon me haar mening op te dringen: o, natuurlijk, wij geven rotzooi uit, maar dat doen we om Echte Literatuur te kunnen publiceren! Wat een schijnheilige sodemieters, die puriteinen! Dus wilde ik haar voor de gek houden en haalde ik Marx aan: het enige waarheidscriterium is het praktische resultaat. En in de uitgeverij is het resultaat het aantal verkopen, nietwaar? Als snertboeken verkocht worden, komt dat doordat mensen er behoefte aan hebben. Je had haar gezicht moeten zien!'

Hij lacht schaterend, daarna draait hij zich om naar de televisie en deelt mee: 'Maar bovenal, als ik die dichters van u in kleine oplagen zou uitgeven, zou ik nooit dat karretje kunnen kopen …'

Op het scherm (het geluid staat uit) een auto die omhoog rijdt in de richting van een zonsopgang: 'Om op tijd daar te zijn waar elk moment telt!' Het mobieltje van Vlad laat jazzklanken horen en het gesprek gaat van start in een Engels jargon dat Sjoetov niet kan verstaan. Vlad bedekt de telefoon met zijn hand, geeft Sjoetov een knipoog en fluistert: *'I'm joking …'* Ja, over die auto, dat was een grapje, denkt Sjoetov terwijl hij zich ontdoet van de stapels foto's die op zijn schoot liggen. Grapje, sjoetka in het Russisch, dezelfde woordkern als zijn achternaam …

Achter de deur waar de oude man huist die zijn spraak kwijt is, hoor je het getik van een lepel tegen een kopje …

Sjoetov keert met slepende tred naar zijn kamer terug, in hetzelfde tempo waarmee de argumenten in zijn hoofd over elkaar heen buitelen. Altijd te laat om de juiste woorden te vinden ... Hij had tegen Vlad moeten zeggen dat vroeger een dichtbundel je leven kon veranderen, maar dat een gedicht de schrijver ervan ook het leven kon kosten. Gedichten hadden het gewicht van de lange straffen aan de andere kant van de poolcirkel waar zo veel dichters verdwenen waren ...

Hij stelt zich het ironische antwoord van Vlad voor: 'En dat vindt u goed?' Dat is het, zo'n soort vraag, van een naïviteit waar moeilijk iets op te zeggen valt. Waarom zou de goelag het criterium voor goede literatuur zijn? En lijden een garantie voor authenticiteit? Maar vooral, wie is ooit in staat om over de waarde van mensenlevens, van boeken te oordelen? In welk opzicht zou het leven van Vlad minder betekenisvol zijn dan dat van een arme drommel die van zijn laatste kopeken het bundeltje van een verboden dichter kocht, gedrukt op pakpapier? Voor deze jonge Russen is geen enkel boek meer verboden. Ze reizen over de wereld (Vlad is net terug uit Boston), zijn weldoorvoed, ontwikkeld, hebben geen complexen ... Toch missen ze één ding ...

Sjoetov probeert niet te denken als een verbitterde oude man. Nee, Vlad heeft geen enkele reden om jaloers te zijn op de Sovjetjeugd van dertig jaar geleden. Die jeugd had niets wat hem aan het dromen zou kunnen zetten. Niets. Behalve misschien een dichtbundel, grauwe bladzijden, gedichten waarop licht valt via doorzichtige goudgele bladeren in een park ... Dat had ik moeten zeggen, denkt Sjoetov en hij weet dat hij de woorden niet zou hebben gevonden: een verkramping van de stem die verhindert opheldering te geven over de rijkdom van dat ellendige verleden.

Hij zet het raam open, beluistert geluiden op de achtergrond die aangeven dat op het feest de vermoeidheid heeft toegeslagen, dat men buiten adem is van de vrolijkheid die de schouwspelen op straat teweegbrachten en die nu alleen nog bij vlagen opleeft. Buiten lopen stelletjes, groepen vrienden voorbij. Een dwaas maar aanlokkelijk idee dringt zich aan hem op. Naar beneden gaan, zijn hart uitstorten: 'Ik ontwaak uit een verdoving die twintig jaar heeft geduurd, ik begrijp hier niets van. Leg het me uit!' Hij glimlacht, doet het raam weer dicht en zet met angstige voorzichtigheid een grote platte televisie aan. Het geluid staat hard – een paar seconden schrik voor hij de afstandsbediening onder controle heeft. En de berustende vaststelling: dit huis zit vol spullen die hij nooit goed zal leren gebruiken.

Op het scherm een rashond met een lange, trotse en onrustige snuit. Handen met gelakte nagels leggen een met glittertjes versierde band om de hals van het dier. Een getal verschijnt: 14.500. Veertienduizendvijfhonderd dollar, verduidelijkt de presentatrice en geeft bijzonderheden over de aard van de edelstenen die het voorwerp sieren. Andere uitvoeringen passeren de revue: met robijnen, topazen, diamanten ... De getallen worden langer afhankelijk van de zeldzaamheid van de edelstenen. De volgende scene toont een hond met kort haar wiens lichaam, gevoelig voor kou, profijt kan hebben van een bijzonder kledingstuk. Manteltjes van vossen-, bever- of sabelbont ... Eenzelfde bontassortiment voor zijn laarsjes ... De uitzending vervolgt met een diersoort die moeilijker tam te maken is. Een lynx die een nagelbehandeling moet ondergaan als u op uw tapijten en uw meubels gesteld bent. We zien een dierenarts die de klauwen van het beest afvijlt ... Een dwergnijlpaard wiens welzijn afhangt van de juiste vochtigheidsgraad, plaatsing van een vochtigheidsmeter is geboden. Een ruime keuze aan voedingssupplementen die de levendigheid van de kleuren zullen versterken van de huid van uw python ...

Sjoetov voelt woede in zich opkomen, maar de uitzending zit slimmer in elkaar dan hij dacht. Deze onderwerpen over dieren van de nieuwe rijken worden verlevendigd met een discussie tussen twee journalisten (de een is voor, de ander is tegen) en reacties van kijkers. 'Niemand mag ons ontsnappen!' herinnert Sjoetov zich. Kijkers zonder geld gaan tekeer en een van de journalisten staat aan hun kant. Mensen met geld keuren het goed en de andere journalist verdedigt hen. Ten slotte komt er een compromis uit de bus: als er gekken zijn die diamanten voor hun keffer willen kopen, laat ze hun gang gaan, we leven in een democratie. Sjoetov realiseert zich dat dit niet ver ligt van wat hij vond en dat zijn woede dus niet erg gegrond was. De nieuwe rijkdom maakt zulke buitensporigheden mogelijk en het zou onnozel zijn een of ander moreel principe erbij te halen om ze te veroordelen.

Een geweldig middel om een deel van de hersenen uit te schakelen! denkt hij en hij zapt naar een andere zender. Het denken wordt in slaap gesust, de opstandigheid van de geest getemd. Want alle standpunten zijn vertegenwoordigd. Een processie van popes dromt een kathedraal binnen: Grieken hebben ter gelegenheid van de driehonderdjarige gedenkdag relikwieën van de heilige Andreas meegebracht. En op de volgende zender zetten twee jonge lesbische rockzangeressen uiteen dat ze in Londen hun show hebben moeten 'kuisen' omdat het Europese publiek zo preuts is. De 'niet gekuiste' variant laat hen zien terwijl ze boven op elkaar zitten, over hun schaamstreek wrijven en in hun microfoon miauwen ... Een nachtelijk beeld, jongelui met kaalgeschoren hoofden, nazigroeten ... Een Amerikaanse serie: drie idioten, twee blank, één zwart, kramen onzinnigheden uit die telkens worden onderbroken door ingeblikt gelach ... Opnieuw honden, maar zonder diamanten want ze zoeken naar explosieven in het Kirovtheater dat de vijfenveertig staatshoofden zal ontvangen die voor het feest zijn uitgenodigd. Een voetbalwedstrijd. Een achterneef van Nicolaas II komt in Sint-Petersburg aan achter het stuur van een oldtimer. Een seksfilm – de kreten van genot in het Russisch doen denken aan de gebruiksaanwijzing voor een elektrisch huishoudapparaat. Belangrijke gasten aan de voet van het ruiterstandbeeld van Peter de Grote, het regent, Blair houdt zijn echtgenote ter bescherming een paraplu boven het hoofd, Poetin laat zich natregenen, Chirac komt aanhollen, door zijn liefde voor antiquiteiten (legt de commentator uit) is hij opgehouden in de Hermitage ... Nog een voetbalwedstrijd. 'Om op tijd daar te zijn waar elk moment telt ...' Beelden in zwart-wit: archiefopnamen uit de Tweede Wereldoorlog, Stalin op een tribune, colonnes soldaten die vertrekken om Moskou te verdedigen. Een interview met mevrouw Poetin: 'Vrouwen dienen de voorkeur te geven aan een eigen mode-ontwerper, dat voorkomt dat ze op een avondje een vrouw tegenkomen in dezelfde jurk van Yves Saint Laurent ...' Een reportage gemaakt in de Zomertuin waar hovelingen uit de achttiende eeuw wandelen, pruiken, hoepelrokken, handbrillen ...

Sjoetov staat op, hij heeft zojuist de bocht van een laan, een standbeeld herkend ... In dertig jaar is er niets veranderd. En is alles veranderd. De betekenis van die gedaanteverandering lijkt hem duidelijk. Rusland probeert de decennia uit te vlakken die het van zijn toekomst hadden gescheiden: een aantal boeken bij Vlad had die Russische toekomst tot onderwerp, die was onderbroken door de rampzalige, tussenliggende Sovjetperiode. Ja, een mooie rivier verontreinigd door de modder van moordpartijen, intellectuele slavernij, angst. Eigenlijk staat Vlad dichter bij die hoepelrokken dan bij het USSR-spook. Deze jongeman zou het beter kunnen vinden met de Engelse achterneef van Nicolaas II dan met een Sovjetfossiel van mijn slag ... Sjoetov glimlacht maar het is een pijnlijke ingeving: over zijn hoofd heen herneemt de Geschiedenis haar loop, wordt ze weer helder ... En hij blijft steken in de vervloekte tijden die iedereen het liefst zou vergeten.

Ik heb er verkeerd aan gedaan te komen ... overweegt hij. Want is hij wel echt ergens aangekomen? Een reis van onder de hanenbalken in een Parijs woonblok waar hij zich maar heel weinig thuis voelde naar deze luxeflat waar hij zich nog meer ontheemd voelt. Ik ben gekomen om Jana terug te zien ... Hij werpt een blik op de klok van de televisie. Half elf 's avonds. In het restaurant had Jana beloofd tegen acht uur langs te komen om hem op te pikken ...

Hij gaat beneden de straat op in het bleke licht van de nachten in het noorden en met het gevoel alles op het spel te zetten begeeft hij zich met vastbesloten tred op weg.

De Hermitage is vannacht open, zeiden ze op de televisie. Hij loopt erheen, duikt met genoegen in de menigte die zich voor de ingang verdringt, lacht om het grapje dat een aantal stemmen herhaalt: 'Dit is de bestorming van het Winterpaleis!' Hij moet weer aan het feest denken, hij voelt de onderlinge hartelijkheid, hij hoopt weer aansluiting te vinden bij mensen op wie hij een achterstand heeft van twintig jaar. Voor een doek zal hij een blik ontmoeten, een gesprek aangaan ...

Eenmaal binnen verstart hij, stomverbaasd, al na de eerste stappen. De omgeving doet aan een stationshal denken. Mensen zitten op het parket, met hun rug tegen de muur, sommige slapen. Anderen hebben op de vensterbanken plaatsgenomen en kijken onderzoekend naar de hemel: er is een klank- en lichtspel boven de Neva beloofd. Twee tieners liggen languit achter een reusachtige vaas van malachiet en kussen elkaar traag. Een toerist in korte broek praat heel luid in het Duits tegen zijn vriendin die een korte broek van hetzelfde merk draagt (alleen drie maten groter) en geeft zijn mening te kennen terwijl hij in een dikke sandwich hapt. Een groep Aziaten trekt langs en filmt met een zeer gedisciplineerde gelijktijdigheid alle schilderijen in de zaal. Een echtgenoot legt zijn vrouw uit: 'De metro gaat om vijf uur weer open, het is beter om hier de nacht door te brengen.' En als spoken verschijnen er opeens dames in hoepelrokken en huzaren met snorren, imitaties van de vroegere vaste bezoekers van het paleis. Maar de menigte is te moe om aandacht aan hen te besteden.

Sjoetov loopt verder, kijkt, en zijn gedachten over Rusland dat de prachtige weg naar zijn toekomst terugvindt komen hem te overhaast voor. Nee, er is ook dat samengaan van manieren van leven, het verdwijnen van een levensstijl en de opkomst van een nieuwe levenswijze die nog maar in de kinderschoenen staat … Voor een vitrine kijkt een meisje naar de tentoongestelde voorwerpen die ze zichtbaar leuk vindt. Hij spitst de oren en stelt vast dat het hikkend gelach van het kind bijna geluidloos gehuil is. Het meisje is haar ouders kwijtgeraakt 'in een zaal met een heel grote pot'. Hij wil al een vrouwelijke suppoost waarschuwen, maar begrijpt dan dat die 'grote pot' waarschijnlijk de vaas van malachiet is. Ze gaan ernaartoe en het kind herkent zijn ouders: de twee verstrengelde jongelui die Sjoetov voor verliefde tieners had gehouden … Op het moment dat hij afscheid van het meisje neemt, meent hij in haar blik net zo'n droevig onbegrip te lezen als hij zelf voelt.

Hij verlaat het museum en laat zich opslokken door de menigte. Enorme aantallen mensen wachten, als een spons die steeds verder wordt samengedrukt, tot de hemel ontvlamt door de schijnwerpers van een Japanse kunstenaar. Nieuwkomers doen de druk nog toenemen, de behendigste mensen klimmen in bomen. 'Drie miljoen dollar, dat wordt een dure grap voor ons!' maakt een stem bekend en een koor herhaalt de hoogte van het honorarium van de kunstenaar. De nacht is niet donker genoeg om de fantasiebeelden door middel van lichtstralen zichtbaar te maken. De wolken worden wel verlicht, maar de wind die over de Neva waait rijt ze meteen uiteen. De mensen gaan vermoeid tegen de Japanner tekeer en verspreiden zich.

Wat van het geestdriftig feestelijk samenzijn overblijft, is dat gelaten klem zitten in de menigte, die van de ene plek naar de andere trekt op zoek naar de laatste oplevingen van het feest. Op het Paleisplein luistert Sjoetov naar het concert van een vroegere protestzanger. Het bekende repertoire: kampen, gevangenissen, bloed. De mensenmenigte lacht, geeuwt van vermoeidheid, komt vervolgens in beweging en dromt de Nevski op. Daar valt ze uiteen. Sjoetov wordt meegevoerd door een groep die rechtsomkeert maakt. Hij kan niet zeggen op welk moment wat hij ziet verandert in een fantastisch schouwspel. Misschien als er uit het water van een gracht een kikvorsachtig wezen tevoorschijn komt: kikvorsmannen controleren de plek waar morgen de stoet wereldleiders moet langskomen. Of misschien als een urinegeur zich opeens overal in de straten verspreidt en niet meer te harden is. 'Zijden toiletten voor de hofdames, maar geen toiletten voor het volk!' grapt een oude man. Op de Engelse kade wordt de menigte omgeleid vanwege een politieversperring: daar ligt een passagiersschip afgemeerd, het drijvende hotel voor de presidenten van de voormalige Sovjetrepublieken. 'Negen suites à zesduizend dollar per nacht, dat las ik in de krant!' laat een vrouw die stevig wordt vastgehouden door haar vriend op een vreemd opgewekte manier weten. 'Schandalig', antwoordt hij kortaf. 'Dat is jouw jaarsalaris. En dan heb je nog Bush, die het hele hotel Astoria bezet houdt …'

Het gaat harder regenen, wat de menigte in steeds kleinere groepjes uiteen doet vallen. Een ervan dumpt Sjoetov aan de rand van het Marsveld. Hij steekt het terrein over, waar groepen jongeren rondhangen. Ze drinken, gooien vervolgens met de lege flessen, maken ruzie, springen over de vlam van het monument voor de doden. Een van hen maakt zijn gulp open om in het vuur te plassen, Sjoetov probeert hem een standje te geven, maar zijn stem gaat verloren te midden van het geschreeuw. Dat is zijn redding, want degenen die hem wel hebben gehoord komen al op hem af, hij hoort scheldwoorden die, hoewel minachtend bedoeld, bijna goedmoedig klinken: 'Hé, ouwe, die ballen van je, heb je die liever gebraden of geroosterd?' Hij loopt weg met een snelheid die hij probeert af te remmen om de vernederende angst niet te verraden die zijn rug doet verstijven.

Nee, wat hem echt redt is het slotakkoord van het fantastische nachtelijke schouwspel: ze gaan de bruggen over de Neva ophalen en hij moet hollen en grote omwegen maken om niet op een van de losse eilanden in de val te komen zitten.

In de lift stelt Sjoetov bij het zien van zijn ontdane gezicht met filosofische ernst vast: ik denk dat ik het nu allemaal begrepen heb. Hij weet niet wie hij dat wil wijsmaken, maar dankzij deze leugen weet hij zijn tranen in te houden.

Vlad begroet hem met nadrukkelijke vriendelijkheid. 'Ik heb dingen klaargezet voor uw avondeten, er is gerookte steur, tenzij … Wijn staat daar, maar op dat gebied bent u waarschijnlijk even lastig als alle Fransen … Mama heeft gebeld, ze heeft jammer genoeg geen tijd kunnen vrijmaken … Er is ook krab uit het Verre Oosten … En, hoe bevalt Petersburg *by night*?'

Die vriendschappelijke hartelijkheid ontroert Sjoetov. Een opgejaagd man mag een ontroering voelen die hem aangrijpt. Waarom geeft hij niet alles toe? Deze mislukte reis, dat mislukte weerzien met Jana … Terwijl hij in de keuken aan tafel gaat zitten (voor Russen van zijn generatie een plek voor lange doorwaakte nachten, waar ideeën werden uitgewisseld, waar het niet ontbrak aan spirituele uitspraken en spiritualiën), begint hij te praten: over de hoepelrokken in de Zomertuin, de vroegere stad, zo weinig feestelijk en toch …

Hij merkt algauw dat de jongeman niet naar hem luistert. Vlad is blijven staan, werpt onopvallende blikken op zijn horloge, houdt het ten slotte niet langer uit en stelt voor: 'Als u wilt, praten we er morgen verder over, dan zullen we alle tijd hebben … Want … ik wilde u om een gunst vragen … Snapt u, ik ben al vier dagen thuis aan het werk en dat valt niet mee …' Sjoetov denkt dat het om een advies met betrekking tot het werk van Vlad gaat, een mening over een schrijver, over een vertaling … Hij gaat zich zelfs belangrijk voelen, hij met zijn grote literaire ervaring … Maar dan spitst het verzoek zich toe: 'Dat ik hier zit te werken komt eigenlijk door de oude man. Mama is heel bang dat hem vlak voor de verhuizing iets overkomt …' Vlad vervolgt zachter: 'Het is niet eens dat hij de pijp uit zou kunnen gaan. Dat kunnen we het hoofd bieden, je laat een dokter komen, hij stelt een overlijdensverklaring op en *see you later*! Nee, wat erger zou zijn is … Nou ja, hij kan niet praten, we weten niet wat er in zijn hoofd omgaat. Stel u voor dat hij zijn keel doorsnijdt, hij heeft twee gezonde handen, hij zou het kunnen. Men zou ons ervan beschuldigen dat we hem slecht behandeld hebben en van ik weet niet wat nog meer. Vooral omdat mijn stiefvader een heel vooraanstaande positie heeft! Mama maakt zich ongerust. Ik help haar zo veel mogelijk, behalve dat … Sinds ik terug ben uit de States heb ik nog steeds mijn … *girlfriend* niet teruggezien. Goed, ze kwam vanochtend, om de kleren te passen die ik voor haar heb meegebracht, maar met al die mensen die hier in en uit lopen is dat niet erg vrij …'

Sjoetov behoort ook tot 'al die mensen', Vlad haast zich te verduidelijken: 'Je gaat elkaar toch niet voor de ogen van een opa staan kussen! Nee toch, maar het feest is in volle gang terwijl ik hier op dat ouwe wrak zit te passen! Ik zie er alleen maar iets van op de tv, een bajesklant is beter af. En nu belde mijn vriendin net, ze zei zonder omwegen: je kunt kiezen, ik of die stervende! Goed, vrouwen overdrijven altijd ... Maar daar sta ik nou. Dus wilde ik u om een heel grote dienst vragen. Of u bereid bent om tot de ochtend bij de oude man te blijven ... Ik beloof u, ik zweer het, dat ik u om half zeven kom aflossen en om acht uur ontfermen verplegers zich over hem ... Heus? Is dat geen probleem voor u?'

Sjoetov stelt hem gerust, brengt het tijdsverschil ter sprake ('In Parijs ga ik om twee uur 's ochtends slapen, dat wil zeggen over vier uur vanaf nu ...'). Vlad stamelt bedankjes, geeft een paar instructies: 'Zijn eten heeft hij al gehad, dat is klaar. Mocht u zien dat zijn pot vol is ... maar hij plast niet veel. Luister, ik ben u levenslang dank verschuldigd! Als u de volgende keer naar Petersburg komt, aarzel dan vooral niet ...'

De deur slaat dicht en vanaf het portaal klinkt de luide stem van de jongeman die in een mobieltje pratend zijn vriendin het goede nieuws meldt.

De televisie, tegenover het bureau van Vlad, zendt een opera uit (de ogen van vijfenveertig staatshoofden strak gericht op het voorhoofd van Pavarotti, waar zweetdruppels op staan). Door de kier van de slaapkamerdeur is een groene deken zichtbaar, een hand die een boek vasthoudt. Af en toe hoor je het ritselen van een bladzijde.

Sjoetov lacht aanvankelijk met proestende geluidjes, dan herinnert hij zich dat de oude man waarschijnlijk even doof als stom is en houdt hij zich niet langer in, schuddebuikt hij van de pret. Wat een mooi, droefgeestig weerzien had moeten worden, draait uit op een klucht. Gekomen als pelgrim met heimwee, zit hij nu midden in een moderne tijd die gekenmerkt wordt door uitzinnigheid, een samengaan van Amerikaanse verleidingen en Russische poppenkast. Hij probeerde dit nieuwe land te begrijpen en ze gooien hem bij de oude Sovjettroep, naast een doofstomme bedlegerige grijsaard wiens po hij straks moet legen.

Hij lacht, zich ervan bewust dat dit zijn enige kans is om niet af te glijden naar het pathos van een verloren paradijs. Zijn kindertijd in een weeshuis, een paradijs? Of misschien zijn treurige jeugd? Of de geschiedenis van dit land, geschreven tussen twee rijen prikkeldraad? Nee, nee, laten we erom lachen, bang als we zijn om erom te huilen! En de redenen om het uit te schateren ontbreken niet. Op het scherm draait de camera weg van de bulderend zingende dikbuikige Pavarotti om zich op een heel andere zanger te richten: Berlusconi die, met halfgesloten ogen, meezingt onder de geamuseerde blik van Poetin. Sjoetov schakelt over naar een andere zender. Een reportage over het voorbijtrekken van oude trams: tijdens het beleg van Leningrad door de nazi's vervoerden deze wagens de lijken van de bewoners die van honger waren gestorven. Sjoetov zapt verder: een Indiase film, een vrouw valt in zwijm, een man overrijdt zijn vijand met een mooie motor. CNN: de beurs stijgt, een generaal heeft het over herstel van de vrede. De Russische tegenhanger van CNN en het wonder van steeds weer dezelfde informatie: opnieuw mevrouw Poetin die vrouwen oproept een eigen modeontwerper te kiezen, opnieuw Grieken die relikwieën van de heilige Andreas aanbieden en de twee rockzangeressen die klagen over het Engelse publiek dat ze te preuts vinden … En als Sjoetov, naar een andere zender overschakelend, op een seksfilm stuit, wekt de houding van de lichamen de indruk dat ze al uren onafgebroken aan het paren zijn. Reclame voor blikjes kattenvoer. Een motorrijder wast snel zijn 'doffe en futloze' haar met een voedende shampoo. Een auto snelt de zon tegemoet: 'Om op tijd daar te zijn waar elk moment telt!' Een beul knipt de das af van de burgemeester van Sint-Petersburg. In een zitkamer zoals in Amerikaanse series maakt een jonge dikke neger twee jonge zwakbegaafde blanken aan het lachen. In een land aan de Oostzee, een optocht van oud-ss'ers. Een reclame voor scheerschuim …

Sjoetov eet voor de televisie (de wijn is lekker, zelfs voor een 'Fransman') en voelt zich bijna gelukkig. Ontspannen in ieder geval door het onzinnige dat er op het scherm langs komt. Het geheim dat hij trachtte te doorgronden is eenvoudig: Rusland is zojuist aangeschoven bij het wereldwijde rollenspel, met zijn aanstellerij, met zijn codes. En het feest ter gelegenheid van het driehonderdjarige bestaan vergroot de geestdrift om mee te doen aan de grote show van de wereld alleen maar: vijfenveertig staatshoofden volgepropt met onze kaviaar, volgegoten met onze wodka, overvoerd met onze Tsjaikovski. De rijkdom van Bill Gates? Bewonder liever onze eigen miljardairs, die dat in een paar jaar zijn geworden!

Op het scherm verschijnen opeens de beide journalisten die kort daarvoor discussieerden over de grillen van de nieuwe rijken met betrekking tot dieren. Nu hebben ze het over de vakanties waarop deze magnaten zichzelf trakteren: een plezierjacht (honderdnegen meter lang), met een helikopter en een onderzeebootje aan boord, een zwembad bekleed met een laagje goud, dat bij 'party's' met vrienden onder elkaar wordt gevuld met champagne, de journalisten zijn het niet eens over het merk en het jaar ... Eén klik en je ziet een oude tram die tijdens de oorlog door de uitgehongerde stad reed.

De lach van Sjoetov komt tot bedaren met een zucht van verlichting. Piekeren is zinloos, je hoeft alleen maar te aanvaarden dat de wereld één groot feest is waar de Russen van nu af aan ook aan meedoen. Iedereen zit goed! De draaimolen draait en alleen Mohikanen zoals hijzelf maken zich nog druk over de voorbije eeuw. Mensen met heimwee die dromen van een mistige avond aan de Oostzee, terwijl de op hol geslagen werelddraaimolen ze eruit gooit om ze ver van het feest tussen de brandnetels in het stof te laten bijten.

Uit de kamer van de oude man klinkt dof gekuch, daarna hoor je het ritselen van een bladzijde. Sjoetov werpt een blik door de kier van de deur, herinnert zich de po, is het misschien al zover? Zal hij hem welterusten gaan wensen? Zal hij even bij hem gaan zitten? Die menselijke aanwezigheid, tegelijkertijd stil en vol ernstige betekenis, geeft hem een ongemakkelijk gevoel.

Wij zijn immers van hetzelfde tijdperk ... Een ergerlijk idee, Sjoetov probeert het wat te nuanceren. Nee, veeleer is het zo dat deze oude man in zijn eentje een heel tijdperk vertegenwoordigt. Afgaand op wat Jana vertelde, is het gemakkelijk om je een voorstelling te maken van het leven van de verschrompelde gedaante onder de groene deken. Als jongeman zong hij in een van de koren die aan het front de soldaten hielpen om het vol te houden. Loopgraven in een vlakte waar de sneeuw overheen jaagt, een van munitiekisten in elkaar geknutseld podium, zangers die hun geril verborgen houden, lachen, telkens weer bravourestukken uithalen. Daarna ... Wat kon hem verder nog overkomen? Hetzelfde als iedereen: omdat Leningrad belegerd werd, zagen de gezonde mensen elkaar terug in die ijskoude vlakten. Vervolgens een jarenlange trage opmars naar Berlijn, daar kwam, als we Jana geloven, de oorlog voor hem tot een eind. En daarna? Wederopbouw van het land, huwelijk, kinderen, werken, sleur, ouderdom ... Een alledaags leven. Maar ook bijzonder. Deze zelfde man, jong, in een stad waar Hitler een grote woestenij van wilde maken. Een beleg van tweeënhalf jaar, meer dan een miljoen slachtoffers, dat wil zeggen elke dag de verdwijning van een kleine stad. Zeer strenge winters, met overal in de donkere doolhoven van straten de dood op de loer, een ijskoude megapolis zonder brood, zonder vuur, zonder vervoer. Huizen vol lijken. Voortdurende bombardementen. En de schouwburgen die doorgaan met het brengen van voorstellingen, mensen die ernaartoe komen na veertien uur werken in de wapenfabrieken ... Vroeger leerde je op school over de geschiedenis van die uitgeputte stad die had standgehouden.

De oude man in zijn kamer hoest, daarna hoor je het schuiven van een kopje dat hij op zijn nachtkastje terugzet. Hoe moet je dat leven bezien? Het lukt Sjoetov niet om de verschillende stemmen in hem tot zwijgen te brengen. Een heldhaftig leven? Ja, maar ook een leven dat domweg nooit uit de verf is gekomen. En ongetwijfeld een mooi leven vanwege de zelfopoffering. En absurd omdat het land waarvoor

96

hij heeft gevochten niet meer bestaat. Deze oude man zal morgen in een of ander crepeerhok in de provincie zitten in gezelschap van eenzame invaliden, omringd door verpleegsters die in dat tehuis alles zullen stelen wat er te stelen valt. Wat een luisterrijk einde!

Opnieuw geritsel van bladzijden. Sjoetov voelt woede in zich opkomen. In zijn jeugd zag hij te veel Russische berusting ten aanzien van het levenslot. Ja, morgen wordt de bejaarde man eruit gegooid, maar dat weerhoudt hem er niet van zich aan zijn kop vol koude thee, aan zijn boek met vergeelde bladzijden vast te klampen. Ze hadden hem het paradijs op aarde beloofd, ze hadden hem de beste jaren van zijn leven afgepakt, ze hadden hem laten wonen in dit huis dat ooit even vol was als een forensentrein. Zonder te morren. Het enige is dat hij niet meer kan lopen en dat hij zijn spraak kwijt is. Zo wordt hij in ieder geval niet meer in de verleiding gebracht om te protesteren. Hij ontvangt een pensioen dat even groot is als de fooi die de vrienden van Jana aan de ober in een nachtclub geven. Hij kankert nooit. Hij leest. Vraagt niets, klaagt niet, veroordeelt dit nieuwe leven niet dat boven zijn gebeente tot bloei zal komen. Ja, dat leven dat Sjoetov op de televisie ziet: met goudverf beschilderde toneelspelers bewegen druk heen en weer voor vijfenveertig staatshoofden die zich opmaken om te gaan eten in de Troonzaal … Heeft hij trouwens weet van dat leven? Als hij het ziet zou hij misschien een van die langgerekte luide schreeuwen laten horen waartoe mensen die niet kunnen praten in staat zijn, een samengaan van boosheid en verdriet? Ja, hij moet het zien!

Zonder de tijd te nemen om na te denken gaat Sjoetov tot handelen over. Hij zet de televisie uit, sjouwt hem naar de kamer van de oude man, duwt met zijn schouder de deur open, plaatst het toestel aan het voeteneind en zet het weer aan. Zelf gaat hij iets apart zitten, zo kan hij de reacties van deze merkwaardige kijker volgen.

De man lijkt niet bovenmatig verbaasd. Hij neemt zijn bril af en werpt een bedaarde strenge blik op Sjoetov, tot de strengheid verandert in onverschilligheid. Zijn grote hand bedekt het boek dat hij zojuist heeft gesloten. Zijn ogen staren naar het scherm, niet afwijzend maar ook niet nieuwsgierig.

Sjoetov begint te zappen. Het gezicht van de bejaarde man blijft even uitdrukkingsloos als eerst. De Engelse achterneef van Nicolaas II komt aan in Sint-Petersburg, Griekse priesters dragen hun relikwieën met zich mee, twee lesbische rockzangeressen klagen erover dat de Engelsen te preuts zijn, Berlusconi zingt een duet met Pavarotti, een Russische oligarch koopt voor zichzelf zestien chalets in de Alpen ... Er verschijnt geen enkele uitdrukking op dat oude gezicht met diepliggende ogen en een grote, rechte neus. Hij zal wel doof zijn, denkt Sjoetov, maar de ogen die naar het scherm staren zijn de ogen van iemand die hoort en begrijpt.

De surrealistische waanzin van de onderwerpen zou dat oude, naar de televisie gewende gezicht moeten doen grijnzen. Daar, die mooie windhond, met alle lichaamsvormen die bij het ras horen. Van zijn baas, die zijn gasten wil vermaken, krijgt hij een bord kaviaar te eten. Nee, hij vertrekt geen spier. Om tijdens het feest de hemel vrij van wolken te houden heeft de gemeente een miljoen dollar uitgegeven ... Het gezicht blijft strak. Bondskanselier Schröder opent, aan de arm van Poetin, feestelijk de Barnstenen Salon in het paleis in Peterhof, de langgeleden door de nazi's met de grond gelijk gemaakte stad. Sjoetov kijkt aandachtig om te zien of het gezicht iets van bitterheid, een restje wrok toont. Niets. 'Vrouwen', zegt mevrouw Poetin, 'moeten zich laten kleden door een eigen modeontwerper.' Een oude tram die tijdens de blokkade van Leningrad doden vervoerde ... De blik van de oude man wordt intenser, alsof hij iets meer zag dan huidige kijkers in staat zijn te zien.

Beelden van het feest. Een seksfilm. CNN: Bush stapt uit een helikopter. Een uitzending gewijd aan het driehonderdjarige bestaan, een overlevende van de blokkade die herinnert aan het dagelijkse rantsoen: honderdvijfentwintig gram brood. Een pope zet uiteen dat op het zwaarste moment van het beleg een processie drie keer om de stad trok waarin de icoon van de Maagd van Kazan werd meegedragen en Leningrad viel niet ...

Een lichte plooi heeft het gezicht een iets hardere uitdrukking gegeven. Het lijkt erop dat Sjoetov contact krijgt met de stomme.

Een voetbalwedstrijd. Het passagiersschip Silver Whisper, negen presidentiële suites. Twee rockzangeressen die boven op elkaar zitten. In het Marijinskitheater zingt de sopraan Renée Fleming de partij van Tatiana in *Jevgeni Onegin* ...

Het gezicht trilt en wordt meteen weer uitdrukkingsloos, trekt zich terug in afzondering. De show gaat verder. Door de zalen van de Hermitage lopen vrouwen in hoepelrokken. Vuurwerk in Peterhof. Poetin drukt Paul McCartney de hand (de zanger heeft opgetreden op het Rode Plein): 'Uw liedjes, Paul, waren voor ons altijd een slok vrijheid ...'

Het absurde bereikt zijn grenzen, denkt Sjoetov. Hij belandt weer in de uitzending die vertelt over het leven van de nieuwe rijken en hij doet geen moeite meer om van zender te veranderen. De beide journalisten bezoeken een modelwoning in een dorp in aanbouw in de buurt van Sint-Petersburg. 'Topbeveiliging', 'topluxe', 'topmateriaal' ... De taal verraadt het komische klimmen op de maatschappelijke ladder, hoger, nog hoger, op weg naar de beste plaats onder de zon.

Sjoetov wordt slaperig. Dit voor gewone stervelingen gesloten paradijs is minder ergerniswekkend dan honden die kaviaar opslokken. Villa's vol elektronica, maar nou ja, rijken moeten toch ook ergens wonen. Elk huis krijgt een naam, er komt een 'Excelsior', een 'Capitool' ... De beide journalisten verlaten net 'Buckingham' en proberen een beschrijving te geven van de schoonheden van de tuinen in Engelse stijl ... 'En in de kassen kunt u ananassen en guaves oogsten ...'

'Dat is precies de plek waar wij ons doodvochten. Voor het moederland, zoals we in die tijd zeiden ...'

Sjoetov schrikt op, de zin is te ongewoon om uit de mond te komen van een van de journalisten. Die gaan trouwens door met het breed uitmeten van de pluspunten van de tuinen. Hij kijkt naar de oude man. Hetzelfde gezicht, dezelfde rustige blik. Opeens bewegen de lippen: 'Ja, daar, die rivier, de Loekhta, die moesten we oversteken terwijl de kogels je om de oren floten ...'

Sjoetov staat versteld, herhaalt in zichzelf wat hij zojuist hoorde: '... vochten we voor het moederland.' De woorden klonken eenvoudig, zelfs met een vleugje ironie dat de naïviteit verried van deze eerbiedige manier van spreken. Maar de laatste woorden, die hij uit de mond van de oude man zelf hoorde, gaven niet meer bloot dan de naam van een rivier, een topografisch gegeven. Sjoetov schraapte zijn keel en deed alsof hij zelf degene was die opeens weer kon praten: 'Neem me niet kwalijk ... Ik ... ik dacht ... Nou ja, ze vertelden me dat u ...' De oude man draait zijn hoofd om, gaat anders zitten om Sjoetov te zien. 'Ja, ze vertelden me dat u ... stom was, dat u ... eh ... uw spraak kwijt was ...'

De oude man glimlacht.

'U merkt wel dat dat niet zo is.'

'Maar waarom ... sprak u met niemand?'

'Spreken waarover?'

'Ik weet het niet ... Over het leven ... Ja, over dat nieuwe leven.'

Ook daarover!

Op het scherm zie je naast de modelvilla een hondenhok, de journalist geeft een toelichting op het airconditioningsysteem, een grote witte windhond schurkt langs zijn been.

'En wat zou je daarover moeten zeggen? Van nu af aan is alles duidelijk.'

Hij zwijgt en Sjoetov wordt getroffen door een onberedeneerde angst: wat als de oude man nu eens voorgoed zijn mond zou houden! De uitzending toont arbeiders die een boom laten omvallen: de knerpende jammerklacht van de doorgezaagde stam, het lawaai van de takken die neerkomen.

'Ja, daar werden we verslagen. Zonder de hulp van iconen trouwens ... Laten we kennismaken. Volski, George Lvovitsj.'

III

Op 21 juni, in café Het Noorden, erg in trek bij bewoners van Leningrad, beleefde Volski zonder dat hij het wist de laatste uren van zijn vroegere leven, de laatste dagen van vrede. Een aangenaam moment, dat zich concentreerde in de geur van een kop chocolademelk.

Een jonge donkerharige vrouw had zich bij de vriendengroep aangesloten, mensen die net als hij lessen volgden aan het conservatorium. Ze at een taartje, er bleef een beetje slagroom op haar bovenlip achter, een snor waar iedereen om moest lachen ... Volski sprak haar aan, hun gesprek maakte zich los van het geroezemoes in de zaal. Hij woonde in dezelfde buurt als zij en het was een zeer groot genoegen te kunnen meedelen: 'De wereld is klein en toch zijn we elkaar nog nooit tegengekomen ...' Dankzij deze eenvoudige woorden realiseerde hij zich met nieuwe kracht wat er van hem geworden was. Van een provinciaal zonder een rooie cent was hij veranderd in een jonge zanger die op voet van gelijkheid sprak met een bewoonster van Leningrad van goeden huize. Ze namen zich voor elkaar opnieuw te ontmoeten en dit plan voor een weerzien hield in dat er een heerlijke dag ophanden was.

Op dat moment kwam in de geur van de chocolademelk het leven waarvan hij droomde tot uiting. Als boerenzoon was het hem gelukt om erkenning te krijgen voor zijn talent, om niet zonder enig tandengeknars aanvaard te worden, met als enige wapen zijn stem. Zijn toekomst leek op de ouverture van een opera, in gedachten zag hij zich al vaak in het

Kirovtheater staan, in *Rigoletto* of *Boris Godoenov*.

Uit zijn kindertijd was hem het beeld van handen bijgebleven, die van zijn vader en zijn moeder, gerimpelde handpalmen waaraan aarde zat vastgekoekt. Zijn verhuizing naar Leningrad had hem ontrukt aan de knellende banden van zijn afkomst, zijn voeten losgemaakt uit de modder van de wegen, zodat hij kon rennen, vluchten … Hij wilde er een leven leiden dat door het zingen gewichtloos zou worden, bedacht hij. Zoals het leven van anderen bitter zwaar was door het werk op het land. Hij ging in zijn verwaandheid zo ver dat hij deze verdeling juist achtte, dat hij zich tot winnaar uitriep. Deze winnaar zou een goede verstandhouding opbouwen met de meest trotse stad van Rusland, zich laten toejuichen door mooie vrouwen wier ogen zouden glinsteren in het donker van de theaterloges.

Zulke gedachten speelden die avond door zijn hoofd, in het heldere licht van een late zonsondergang, bij het gelach van zijn vrienden in de grote zaal van het café, terwijl hij genoot van de smaak van de chocolademelk waar hij met kleine slokjes van dronk.

De volgende dag deelde de luidspreker die aan een paal tegenover Het Noorden hing mee dat de oorlog was uitgebroken. Zoals duizenden andere luidsprekers, van de Zwarte Zee tot de Grote Oceaan.

In september zag hij in dezelfde straat een gebouw waaruit zojuist door bommen de voorgevel was weggeslagen. Het interieur van de woningen, bijna ongeschonden, verbaasde meer dan verwoeste huizen, die al talrijk waren in de belegerde stad. Achter in een vertrek op de eerste verdieping kon

Volski in een leunstoel een lichaam zien, een verstard gezicht ... Hij dacht gauw weer aan de avond van 21 juni, aan de smaak van chocolademelk.

Deze herinnering keerde terug op een ochtend in oktober: een vrouw gleed uit op de bevroren oever van de Neva en hij snelde toe om haar te helpen, greep de emmer die ze probeerde te vullen. In de huizen was het water al maanden afgesloten, maar op dat moment werd hij zich bewust van het vreemde van de situatie. Een moderne grote stad, mensen die water uit de rivier halen en dat troebele vocht drinken. Een kop warme chocolademelk, dat is waar hij opnieuw aan moet denken.

Hij moest er ook weer aan denken toen hij op een avond in het portiek van zijn flat een kinderstem hoorde, een geweeklaag dat leek op het jammeren van een dronkaard. Gewend aan een leven zonder elektriciteit, liep hij tastend de trap op en het gesteun kwam dichterbij, begon op woorden te lijken, daarna hield het opeens op. Hij streek een lucifer af (een onschatbare rijkdom) en zag het hoofd van een oude man voor zich op het magere lichaam van een jongetje. De vlam ging uit, hij riep bij de deur van een flat. Hij hoorde iets ritselen, geen stem. 'Wacht,' zei hij tegen het onzichtbare kind in het donker, 'ik ben zo terug, dan geef ik je wat te eten ...' Hij nam mee wat in de belegerde stad het voedsel was: een homp brood die voor de helft uit stro bestond. Een als een fakkel aangestoken parketstrook verlichtte de weg. Het kind was verdwenen. Van één flat stond de deur open. Volski riep, keek om het hoekje maar had niet de moed om zich in het grottenstelsel van koude vertrekken te wagen ...

Na weer naar boven naar zijn eigen woning te zijn gelopen, verslond hij het brood alsof iemand het van hem had willen afpakken. Daarna bleef hij een hele poos in het donker aan het kind denken, in een doolhof van vertrekken waar men van nu af aan op een lijk kon stuiten. Het drong tot hem door dat het niet de honger was die hem ertoe bracht terug te denken aan de avond van 21 juni en zijn kop chocolademelk. Nee, het was de angst te zien dat het zieltogen van de stad tot het gewone leven ging behoren. En dat hij spoedig tot een soort bestaan zou vervallen waarin je ging slapen zonder je te bekommeren om een uitgehongerd kind dat in een naburige flat lag dood te gaan ...

Hij blies als een bezetene op het vuurtje op de bodem van een teiltje dat in een kacheltje was veranderd, gooide er een paar latjes in die hij uit het parket had losgebroken. Sloot zijn ogen. De golf warmte had het aangename van een zomeravond ... Café Het Noorden, gelach van vrienden, daar bijeen, na een repetitie. Een van hen amuseert zich ermee alles wat ze zeggen om te zetten in gezang, in de trant van een opera-aria. Een meisje bezorgt zichzelf een snor door in een taartje te happen, bloost, en als Volski ziet hoe mooi ze is, bloost hij eveneens. Te midden van het gelach vangt hij op hoe ze heet: Mila.

Hij werd wakker van de doordringende klank van een snaar. Het geluid kwam van de gang van de gemeenschappelijke flat, het vertrek dat werd bewoond door een oud echtpaar. Deze buren stonden niet meer uit hun bed op, en als ze hulp nodig hadden, krabbelde een van hen aan de snaren van een oude viool ... Hij pakte de kan water die op het kacheltje warm stond te worden, de klanken leidden hem in het donker. Hij bedacht dat hij het kind terug moest zien te vinden en het naar de oude mensen moest brengen, dichter bij die klanken die in staat waren een mensenleven te redden.

Toen hij de volgende ochtend op de thermometer achter de ruit keek (min zevenentwintig), schoot heel even een gevoel van vroeger geluk door hem heen: een ijsbaan, snelle gestalten, een luidspreker die walsen en tango's liet horen … Nu betekende de daling van het rood in dat buisje maar één ding: een toenemend aantal lichamen dat nooit meer zou bewegen.

Die ochtend vond een belangrijke gebeurtenis in de geschiedenis van de belegerde stad plaats. Het broodrantsoen werd teruggebracht tot honderdvijfentwintig gram per persoon. Een week ervoor waren de pakhuizen met voedselvoorraden gebombardeerd en bij de brand waren levensmiddelen in vlammen opgegaan die de twee miljoen bewoners een maand hadden kunnen voeden. Het woord 'blokkade' had dan ook geklonken als een doodvonnis: een wurgende omsingeling, geen enkel contact met de buitenwereld, geen enkele hoop op overleving. Een snee brood per dag, uitputting, geen kant meer op kunnen, het einde. Degenen die westerse radiostations konden ontvangen, vernamen het besluit van Hitler: de stad zou spoedig worden bezet, haar inwoners zouden niet worden weggevoerd, ze zouden blijven waar ze waren, afgesneden van de wereld, zonder voedsel, zonder water, zonder medische zorg en aan het eind van de winter zou het leger van het Reich overgaan tot 'sanitaire onderhoudswerkzaamheden', dat wil zeggen: de vernietiging van twee miljoen lijken. De bewoners van Leningrad dachten dat ze dit plan al aan het uitvoeren waren.

Volski at zijn broodrantsoen tussen twee luchtaanvallen door. Met drie andere jongeren was hij zojuist over de daken van een aantal huizen getrokken waar ze brandbommen opraapten en die met een reusachtige stalen tang onschadelijk maakten. De stilte keerde weer, hij ging achter een dakraam in de beschutting van de wind zitten, haalde zijn brood tevoorschijn en kauwde er langdurig op om de honger te slim af te zijn. Zijn blik herkende de loop van de grote hoofdwegen, de spits van de Petrus-en-Pauluskathedraal en die van het Admiraliteitsgebouw. Op de kaap van het Vasiljevski-eiland, tegenover het Winterpaleis, staken de luchtafweerbatterijen hun lange lopen in de lucht. Sommige monumenten gingen schuil achter een bekisting van planken die ze tegen granaten beschermde. De Neva zag eruit als een grote besneeuwde vlakte. Het was een heldere dag, met een blauwe hemel, mooier dan ooit dankzij het ontbreken van vervoermiddelen en mensenmassa's. Een schitterende lijkwade, bedacht Volski. Ja, een eindeloos kerkhof van huizen waar dag na dag talloze harten ophielden met kloppen. Er was geen ander leven mogelijk.

In gedachten liet hij de toekomst waarvan hij droomde aan zich voorbijtrekken, als een versneld toneelspel: het flikkeren van lichten, operawijsjes die geneuried werden in een tempo alsof het lichte muziek betrof, daverend applaus … Dat alles was nog ongelooflijk dichtbij. En al ijdel, lachwekkend.

Hij voegde zich bij zijn vrienden die over het dak liepen. Spaarzame bewegingen, langzame gebaren. Het leek net of deze traagheid een gevolg was van de angst om uit te glijden. Nee, zo liepen mensen die leefden van honderdvijfentwintig gram brood. Toch bewogen ze voorwaarts dwars door de kou, dwars door de dagen die allemaal het einde aankondigden. Dwars door het enige leven dat ze nog hadden en dat heel erg op de dood leek ... Een voor een gingen ze het dak op, na afloop daalden ze via een ijzeren trap af naar de bovenste verdieping van het gebouw. In de deuropening van een woning stond een vrouw met een kind in haar armen. Ze groette hen met een krachteloze glimlach ... Volski was verbaasd over de eenvoud van de keuzes waartoe de oorlog je dwong: als het ze niet gelukt was de brand te doven, zouden deze moeder en haar kind het niet hebben overleefd ... Hun overleven zou misschien niet van lange duur zijn, want ze werden bedreigd door nieuwe bommen, door honger, door het zakken van het rood in het buisje van de thermometer. Maar dit uitstel was de moeite waard om je leven voor op het spel te zetten. Ja, voor de flauwe glimlach van de vrouw, voor de rustige ademhaling van haar kind moest je de jongeman vergeten die op een juni-avond van zijn chocolademelk dronk en zich een trotse winnaar voelde.

Toen de blokkade begon, had hij nooit gedacht dat hij met zoiets te maken zou krijgen als een leven dat je redt ten koste van je eigen leven.

Op een novemberochtend werd hij de innige band tussen leven en dood gewaar tot in zijn ademhaling. De twee voorafgaande dagen had hij niet meer de kracht gehad om zijn huis te verlaten. Bij de eerste poging om zijn honderdvijfentwintig gram brood te gaan halen was hij van de trap gevallen en enkele ogenblikken buiten bewustzijn geweest, daarna had het hem een uur gekost om weer boven in zijn kamer te komen waar zijn lichaam dankzij het vuur niet één werd met de levenloosheid waardoor de straten werden beheerst.

Hij had een begin gemaakt met het verkennen van de allerlaatste regionen voor de dood. Honger had hij zich altijd voorgesteld als een nooit ophoudende foltering die de ingewanden kapot maakte. Dat was het zolang je de kracht had haar te voelen. Daarna kwam er een eind aan de kwelling bij gebrek aan een gekwelde, omdat die een schim was geworden voor wie een slok water drinken al een zware inspanning was. Ook kou maakte het degenen die zich aan het leven vastklampten moeilijk, maar verzachtte de pijn van degenen die uitgeput op het einde wachtten. Het verval leek trouwens iets wat zich buiten het lichaam voltrok. Het was de wereld die veranderde, voorwerpen te zwaar maakte (die kan waarin water warm werd gemaakt woog nu een ton), afstanden verlengde (drie dagen daarvoor was het hem nog gelukt de bakkerswinkel te bereiken: een ware poolexpeditie).

Ondanks de lichamelijke achteruitgang bleef zijn geest helder. Hij liet de mogelijkheid tot zich doordringen dat hij morgen misschien niet meer in leven zou zijn, gaf zich er rekenschap van hoe merkwaardig het was zo kalm op die gedachte te komen, en zelfs hoe aanstellerig het zou zijn geweest zich een beeld van zijn dood te vormen als hij niet echt bezig was geweest met sterven.

Ja, zijn hersens werkten perfect. En toch was het iets anders dan zijn geest wat hem op een avond het bevel gaf de sufheid van zich af te schudden en een tocht door de flat te maken, waar het overal donker en ijskoud was. Aan het andere eind van het donker liet een hand de snaren van een viool trillen.

III

De oude echtelieden lagen in hun bed dat leek op een tent waarin zeil, dekens en kleren alles door elkaar over hen heen was gevallen. Geen vuur in het kacheltje, alleen maar het schijnsel van een half opgebrande kaars.

'Mijn man is dood … U was bewusteloos', fluisterde de oude vrouw en het duurde even voor Volski begreep dat de beide zinnen niet op dezelfde situatie sloegen. Hij was even buiten westen geweest, de vrouw was opgestaan om een natte doek op zijn gezicht te leggen en toen hij weer bijkwam hoorde hij haar stem ('U was bewusteloos …'). Hij wilde uitleggen dat het niet een voorbode van de dood was die hem op de grond had geworpen, zoals in een slecht toneelstuk. Ze verzekerde hem dat ze dat ook niet had gedacht en ze hielp hem in een leunstoel te gaan zitten. Ze hadden de kracht niet meer om te praten, hun zwijgen werd een waken waarbij ze elkaar zonder woorden begrepen.

Ze begrepen dat de dood geen verbazing meer wekte, hij vertoonde zich te vaak in de zieltogende stad. Talloze woningen werden bewoond door lijken, stoffelijke overschotten lagen midden op straat en de levenden werden slechts door een heel smalle grens van hen gescheiden. Volski herinnerde zich de voorbijganger die een keer aan het begin van de Paleisbrug bij een man was blijven staan die in de sneeuw lag, opeens zelf in elkaar zakte en zich zo over de grens heen bij hem voegde. Zo-even deed ík het bijna, dacht hij terwijl hij een blik op het lichaam van de oude man wierp.

In zijn hoofd was de dood altijd omringd geweest door een ingewikkeld verstoppertje spelen met jezelf, een laveren tussen mooie beloften, cynisme en angst. Hetzelfde spel kwam hij in boeken tegen: een heleboel smoesjes om de dood te verzwijgen of hem anders achter leugens weg te stoppen ...

De vrouw stak haar armen uit, zette de kaars recht. De vlam maakte haar vermagerde hand doorzichtig, tot het patroon van de bloedvaten toe. IJskoude vingers. De schaduw van haar beweging schoof over het gezicht van de oude man als een streling en leek het even tot leven te wekken. Waarschijnlijk zag ze het, ze glimlachte terwijl ze haar ogen sloot en drukte de hand van haar man.

Alles wat Volski van de dood wist leek hem onjuist. Het ogenblik dat hij met deze beide oude mensen deelde, zinderde van leven. Een leven teruggebracht tot de uiterste eenvoud van het waarachtige. Die oude handen in elkaar, die glimlach van verdriet op het gezicht van de vrouw, haar kalme blik.

Laat op de avond zette ze een linnen zakje op het nachtkastje en nog voor hij had gekeken, verried de geur Volski dat er droog brood in zat. 'We zullen kunnen eten', fluisterde de vrouw alsof ze bang was de slaap van haar man te verstoren en ze voegde eraan toe: 'Dankzij hem ...' Woorden waarvan de betekenis Volski ontging. Het droge brood zette op een heerlijke manier uit in de mond. En het had ook een smaak die de tong nauwelijks meer herkende, een suikerklontje dat langzaam smolt en dat niet iets was wat je proefde maar een beeld gaf, het beweeglijke mozaïek van een vergeten wereld. 'We mogen niet te veel eten', zeiden ze allebei werktuiglijk, daarover waren ze het met elkaar eens. Het bekende liedje met betrekking tot alle uitgehongerde mensen om hen te wijzen op het gevaar van plotselinge overvloed. Te veel ... Volski keek naar het zakje, schatte de tijd dat zijn buurvrouw het met deze voorraad kon uithouden ...

'Ja, dankzij hem', herhaalde ze. Een brief die haar man had achtergelaten vermeldde het bestaan van de zak, die verstopt zat achter de boeken die nog niet in de kachel verbrand waren. Al weken bewaarde de man een deel van zijn rantsoen in het besef dat er tussen zijn vrouw en hem gekozen moest worden wie zou overleven …

Volski had al horen spreken over mensen in het belegerde Leningrad die, om een naaste te redden, geen moeite meer deden om in leven te blijven, gewoonlijk een moeder die zich opofferde voor haar kinderen. Nu had hij zelf zijn leven aan een mens te danken.

De oude vrouw zweeg, sloot haar ogen, terwijl ze met haar hand in de vingers van haar echtgenoot kneep. Volski kreeg opnieuw het gevoel dat deze band losstond van het sterven van lichamen. De vrouw haalde diep adem en met die glimlach van bitterheid die hij al eerder had waargenomen, fluisterde ze: 'In feite deed ik hetzelfde als hij …' Met een hoofdknikje in de richting van een rekje, wees ze op een papieren zakje waar sneeën droog brood uitstaken.

Hij vertrok naar het kerkhof in de diepe duisternis van een winterochtend. De brede donkere straten zonder verkeer deden denken aan bevroren fjorden waaruit de zee zich leek te hebben teruggetrokken. De voorbijgangers waren talrijker dan hij gedacht had. Ze tekenden zich in het donker af als op een negatief. Zij die op weg waren naar de fabriek liepen sneller en leken minder verzwakt, merkte Volski op, die niet wist of de energie die ze uitstraalden te danken was aan het feit dat ze extra brood kregen of dat ze een sterk gestel hadden. Vaker dan deze arbeiders passeerden gebogen vrouwen die sleeën trokken beladen met emmers, nu eens leeg, dan weer vol water uit de Neva. Hun gang was niet anders dan het moeizame vooruitkomen van de mensen die, net als Volski, een dode vervoerden.

Hij had een kastdeur gebruikt, een plank van vijftig centimeter breed, om er het stoffelijk overschot van de oude man op te leggen. Maar weinigen lukte het om een doodkist op de kop te tikken. De meeste mensen begroeven hun naasten in een lijkwade die bestond uit een gordijn of een tafelkleed.

Na zo'n drie, vier kruispunten hoefde hij niet meer af te slaan om bij het kerkhof te komen en van hier af volgde iedereen dezelfde richting. Volski ploeterde door de sneeuw op enige afstand van twee vrouwen wier last op een rechthoekige plaat ijzer lag. Op een hoek hielden ze halt en een van hen omhelsde de ander voor ze afscheid van haar nam. Ze had haar een eind geholpen en moest nu naar haar werk, nam Volski aan. De vrouw die alleen in haar trektouw was achtergebleven, kwam nu langzamer vooruit en algauw stond hij op het punt haar in te halen. Op dat moment bemerkte hij zijn vergissing. Wat hij voor een plaat ijzer had gehouden was in werkelijkheid een groot schilderij ... Verbazingwekkend, ja en nee, dacht hij, waarbij hij zich de ontreddering voorstelde, de haast, de onmogelijkheid om zo gauw een slee te vinden ... Degene die, in een lap stof gewikkeld, in het midden van de lijst lag, leek niet zwaar, het doek was wat uitgezakt. Toch vroeg het laten voortglijden van zo'n rechthoek veel inspanning: de hoeken van het schilderij zakten weg in de sneeuw, het stoffelijk overschot verschoof, dreigde eraf te vallen ...

Eerder met een gebaar dan met woorden bood Volski zijn

hulp aan, de vrouw aanvaardde die met niet meer dan een hoofdknikje. Met één hand trok hij nu ook haar vracht. Het zwart van de hemel kleurde paars, de lucht was helder, ijskoud. Je kon de elkaar opvolgende rijen mensen op straat, de witte pluimen van de ademhaling boven de personen die daar liepen beter zien.

Terwijl ze een groot verlaten plein overstaken, weerklonk opeens het lawaai van vliegtuigen. De ergste, dacht Volski toen hij het gieren van de stuka's hoorde die in duikvlucht bombardeerden. De schokken van de ontploffingen trokken via de voetzolen door het hele lichaam en het geraas vulde het decor van de dode stad met luide, wisselende klanken. Uit een nabijgelegen straat kwam een grote om zijn eigen as draaiende wolk. Mensen lieten hun doden in de steek en haastten zich naar de portieken van gebouwen. Volski en de vrouw die hij aan het helpen was, belandden achter sneeuwhopen op de grond tegen een muur. Ze lag op haar zij, met het gezicht verborgen achter haar gebogen armen. Zonder haar te kennen, zonder te weten of ze jong of oud was, voelde Volski diep medelijden met dat in de vuile sneeuw neergegooide lichaam. Eén bomscherf en deze onbekende vrouw kon daar als een nutteloos menselijk overblijfsel blijven liggen. Hij kreeg zin om op te staan, om zich tussen dat leven en de metaalsplinters die door de straat vlogen op te stellen.

Na een kwartier gingen ze weer op weg en eindelijk kon Volski het gezicht zien van de vrouw die naast hem liep. Ze was jong maar haar door honger ingevallen gezicht maakte haar leeftijdloos, ontnam haar bijna haar persoonlijkheid. Zoals dat bij alle vrouwen in de belegerde stad het geval was. Grote, diepliggende ogen, vleesloze wangen waarvan de lijnen de vorm van de kaken en de schedel verrieden.

Toen ze hijgend halt hielden om een stukje droog brood te eten, zei hij om wat van de ernst van hun tocht naar de begraafplaats weg te nemen: 'Ik had nooit gedacht dat ik mijn buurman nog eens zo armoedig zou vervoeren. Het is treurig ... Uw vervoermiddel ziet er niet veel beter uit ... Wie is bij u de overledene?'

'Mijn moeder.'

Ze bleven roerloos tegenover elkaar staan, zwegen, ze vermeden om zich met een gelaatsuitdrukking bloot te geven, slikten hun opkomende tranen weg. Het was die ochtend dertig graden onder nul, het was het moment niet om te huilen.

De jonge vrouw kwam als eerste weer in beweging, bukte zich, pakte het touw van haar last.

'Ik ben meer veranderd dan jij ... Je herkende me niet eens', fluisterde ze.

Volski dacht het niet goed gehoord te hebben, was verbaasd omdat ze hem opeens met 'je' aansprak, maar vooral omdat die vrouwenstem voor hem zo gauw weer iets vertrouwds had gekregen. Toch was de vrouw die hij zag nog steeds een onbekende.

'Hebben we elkaar dan al eens eerder ontmoet?'

De jonge vrouw tilde de dikke sjaal iets op die haar voorhoofd bedekte.

'Ja, ik ben het meisje dat niet netjes taartjes weet te eten en jij bent dol op warme chocolademelk.'

Hij bleef verbijsterd staan, staarde naar dat vermagerde gezicht, die reusachtig grote ogen met donkere kringen eronder ... Mila!

Op een avond begin december waren op Leningrad niet langer de woorden van toepassing die er kort daarvoor nog toe bijdroegen om zich een voorstelling te maken van haar ijskoude doodsstrijd. Je zei 'oorlog', 'blokkade', 'hongersnood' en alles leek begrijpelijk. Tot de dag dat Volski en Mila op het Vijfhoekenplein die bevroren watermassa zagen. Gesprongen leidingen hadden voor een reusachtige spiegel gezorgd die een paarse hemel en donkere huizen weerkaatste. Ze liepen voetje voor voetje, moesten elke vijf minuten op adem komen. Toen ze op het plein uitkwamen, bleven ze sprakeloos staan. Voor hun voeten strekte zich in de diepte het weidse spiegelbeeld uit van een onbekende stad. Aan de rand van die afgrond zat een jong meisje, een met een ijslaag bedekt standbeeld. Woorden konden maar bij benadering weergeven wat er gebeurd was: een bewoonster had geprobeerd water te halen en was verzwakt door uitputting in elkaar gezakt. Maar de betekenis van de woorden liep stuk op die omgekeerde stad, op de glimlach die men op het verstarde gezicht van het jonge meisje kon zien.

... Een dag eerder hadden ze de buurvrouw van Volski geholpen de stad uit te komen. Deze uiterst kleine mogelijkheid om weg te gaan bestond nu dankzij vrachtwagens die zich op het ijs van het dichtgevroren Ladogameer waagden. Bewoners van Leningrad noemden deze weg nog niet 'de levensader', maar honderden mensen ontvluchtten op die manier de stad, waarbij ze de kou die de golven deed verstenen dankbaar waren, die kou die dodelijk was voor degenen die bleven ... Dit vertrek werd het allerlaatste zinvolle doel waaraan men zich in de dode stad kon vastklampen. De oorlog, het beleg, die vrachtwagens die kinderen en ouden van dagen wegbrachten om ze te laten overleven. Woorden en daden wekten nog de schijn dat ze logisch met elkaar in verband stonden ...

De avondschemering op het Vijfhoekenplein zette de wereld op het paarse ijsoppervlak op zijn kop – de duizeling van gebouwen, straatlantaarns, sterren die ondergronds voortsnelden. En aan de rand van het bevroren water een jong meisje dat daar zat en, ver vanuit de dood die ze was gestorven, glimlachte.

Ze spraken bijna niet meer. De woorden sloten slecht aan bij wat ze meemaakten. Ze zouden de stenen blokken die lijken herbergden 'huizen' hebben moeten noemen. En die vage, hoekige mensengestalten 'bewoners'. Gekookt leer, in water opgelost behangplaksel 'voedsel'.

Om die laatste sprankjes leven te beschermen, sloofden enorme aantallen broodmagere vrouwen zich af aan de lopende band in wapenfabrieken, zetten ze reeksen granaten, een helder klinkende stortvloed aan kogels netjes op een rij. In de ijskoude vlakten rond de stad schoten mannen met door koubulten getekende gezichten dat staal af op andere mannen die met ongelooflijke verbetenheid het reusachtige kerkhof wilden veroveren dat Leningrad aan het worden was. Elke nacht reden vrachtwagens het ijs van het dichtgevroren meer op en speelden een listig spel met bommenwerpers die deze doelen, weerloos te midden van de sneeuw, verwoed aanvielen. Vaak verdween de menselijke lading in de kraters die de bommen sloegen. Op de terugweg namen de ongeschonden gebleven vrachtwagens brood mee, dat in sneeën van honderdvijfentwintig gram werd verdeeld, waarmee dat leven waar geen woorden meer voor waren voor een paar dagen weer op gang werd gebracht.

En boven deze spookachtige wereld ging de zachtpaarse zon op die hoorde bij de koudste periode, een doffe schijf die zich maar kort liet zien en deed denken aan een onbekende planeet.

Alles wat hun overkwam, leek te gebeuren alsof het al na hun dood was. In dat leven na de dood stierven, diep verborgen in stenen doolhoven, unieke individuen, uitgemergelde lichamen, zonder onderscheid door elkaar, tot waanzin gebracht door de laatste stuiptrekkingen van de hoop, onrustig door de herinneringen die ze meedroegen. En sneden andere individuen, die nog iets meer kracht hadden, stukken metaal uit waarmee mensen met pijnlijke gezichten van de kou degenen doodden die naar deze sneeuwmassa's waren gekomen om te sterven.

Vanaf dat moment bekeken Volski en Mila de wereld dienovereenkomstig, met een blik van heel ver weg. Een blik die je goddelijk had kunnen noemen, zo afstandelijk was hij, en toch pijnlijk menselijk, want allebei waren ze erg bang dat de ander dood zou gaan.

De avond dat ze de stad ondersteboven zagen, had die angst ogen die hen in het donker bespiedden. Ze waren naar huis teruggekeerd, hadden geprobeerd vuur aan te steken, wat was mislukt. Hun handen, waarmee ze geen kracht meer konden zetten omdat ze zo zwak waren, slaagden er niet meer in een parketstrook los te wrikken. Iemand in het donker staarde naar hen, met een minachtende grijns, als een jager die een stuk wild in de gaten houdt dat trillend voor hem zit ...

Volski rukte zich los van die blik, pakte een stapeltje papier, verfrommelde de vellen een voor een en stopte er de kachel mee vol. Alle boeken waren al verbrand, het enige wat over was, waren deze bladzijden van partituren en een operatekst die ze vroeger op het conservatorium hadden moeten leren. Toen het vuur brandde, staken ze hun handen ernaar uit, masseerden hun vingers en slaagden erin zo'n tien stroken los te trekken.

Uit de brandende vellen papier maakten zich de klanken van muziek, van stemmen los. De angst maakte plaats voor een onbekend gevoel: de dood was misschien het ontstaan van de klanken die aan de brandende bladzijden ontsnapten. De zekerheid ergens anders te zijn dan in hun uitgehongerde lichaam had niets van een overwinning. Ze hoefden niets te zeggen, ze wisten gewoon dat het zo was.

De volgende dag gaf dit geloof hun de kracht naar de plek te gaan waar ze elkaar op 21 juni hadden ontmoet ... Café Het Noorden was dicht, de straat versperd met blokken beton, de portieken van de huizen waren veranderd in mitrailleursnesten. De stad bereidde zich voor op het slotoffensief van de vijand. Binnen was het café nauwelijks veranderd. Dezelfde met brons beklede toog, dezelfde spiegels en daar, onder een groot wandmozaïek, 'hun' tafeltje ... Ja, een tafeltje in een lege zaal die baadde in een koperkleurig licht, waar diepe rust heerste. En op de ruit de weerspiegeling van twee gezichten, zo ingevallen dat het wel doodshoofden leken. Daar was hij dus, de dood.

Ze beseften dat ze zich te ver van hun huis hadden verwijderd en dat de korst brood die ze 's ochtends gegeten hadden niet genoeg was om de terugweg aan te kunnen. De straten gaven een aaneenschakeling van bevroren lichamen te zien, sommige waren in een provisorische lijkwade gewikkeld, andere zaten of lagen in dezelfde houding waarin ze waren neergevallen. Ze liepen langzaam voort, zonder emotie te voelen bij het zien van die doden, ook niet bij de gedachte, vaag en zonder dat het pijn deed, dat het hun ook kon overkomen dat ze zouden neervallen en verstijven. Op een gegeven ogenblik merkte Volski dat de kin van Mila wit was geworden, het leek net een veegje poeder, een voorbode van bevriezing. Hij probeerde over de plek te wrijven, maar zijn vingers waren te stijf om daarmee iets te bereiken. Daarom opende hij zijn jas en trok de jonge vrouw naar zich toe zodat ze haar ijskoude gezicht tegen zijn borst kon drukken. Zo bleven ze staan, midden op straat waar in de avondschemering de doden waakten. Het was hun allereerste omhelzing.

Toen ze richting de Neva liepen, zagen ze een lange rij wachtenden voor een gebouw staan. Uitgehongerd als ze waren, legden ze instinctief het verband: een hoeveelheid mensen, rantsoenbonnen, een snee brood. Toch zag deze rij er ongewoon uit. Mensen gingen door de deur naar binnen, maar niemand kwam weer naar buiten, alsof ze besloten hadden hun rantsoen ter plekke op te eten, beschut tegen de ijskoude wind van de Oostzee. Toen ze dichterbij kwamen, zagen Volski en Mila tot hun stomme verbazing dat het om een schouwburg ging en dat die mensen, die van uitputting niet meer konden praten, een voorstelling gingen bijwonen.

De affiche van het Muziektheater kondigde een operette aan: *De drie musketiers* …

Zonder te overleggen begaven ze zich naar de artiesteningang. Ze werden begroet door een oude man met een kaars in zijn hand, die deed denken aan een personage dat was weggelopen uit een stuk van Tsjechov. Hij bracht hen naar het kantoor van de directeur. Die was bezig hout klein te maken om er een ijzeren kachel mee te vullen waarop een pan warm stond te worden. Hij keek met een sterk vermagerd gezicht naar hen op en zijn glimlach spande de huid over de rondingen van zijn jukbeenderen. Zijn ogen leken naar een gruwelbeeld te staren. Volski sprak over het conservatorium, vroeg of ze van nut konden zijn ….

Opeens duwde de man hem opzij en met een snelle beweging kon hij nog net Mila vastgrijpen, die flauwviel. Toen ze weer bijkwam, mompelde hij nog steeds met die glimlach die niets aan de uitdrukking van zijn ogen veranderde: 'Vroeger werden toneelspelers erin getraind heldinnen die flauwvielen op te vangen …' En hij nodigde hen uit een kop soep te drinken, heet water in feite, waarin wat havergort dreef.

Hun verzoek werd ingewilligd met een zin die Volski zijn hele leven zou onthouden: 'Wij kunnen stemmen goed gebruiken.' Hij ontmoette Mila's blik. Stemmen … Eigenlijk was dat het enige wat ze nog hadden.

Hun leven werd één met het theater. Ze hielpen met het plaatsen van decors, stonden de costumiers bij, maakten maaltijden voor de zangers en muzikanten klaar. En 's avonds speelden ze. Volski dacht dat de regisseur met het aannemen van extra veel figuranten probeerde hen gerust te stellen. Maar na een paar voorstellingen begreep hij dat deze keuze verband hield met het veelvuldig overlijden van acteurs. Deelnemend aan de opvoering leerden de figuranten de rollen en konden ze de plaats innemen van degenen die op een gegeven moment niet meer kwamen opdagen.

Volski en Mila kenden die *Drie musketiers* al uit hun hoofd, een operette geschreven door een zekere Louis Varney, wiens libretto grondig was bewerkt door een Russische schrijver. Het stuk had weinig uit te staan met de roman van Dumas. Behalve de musketiers, natuurlijk. Als ze thuiskwamen staken ze het vuur aan, oefenden de liedjes en schoten af en toe in de lach: de woorden over 'de warme zon in het zuiden' lieten een wolkje damp uit de mond van Volski komen ... Het moeilijkst was de eerste akte. Vanwege die 'warme zon' stond Marie, het liefje van D'Artagnan, te rillen in haar dunne satijnen jurk.

Iedereen deed zijn best de opvoeringen te laten zijn zoals vroeger. Toch was alles natuurlijk heel anders. Men speelde bij het licht van kaarsen, in een zaal waar het tien graden onder nul was. Vaak werd het stuk onderbroken door een alarmsirene. De toeschouwers daalden af naar de kelder, zij die daar niet meer de kracht toe hadden, bleven in elkaar gedoken op hun stoel zitten, starend naar het toneel dat door het lawaai van de bommen was leeggelopen … Applaus hoorde je niet meer. Te verzwakt, met hun ijskoude handen in wanten, bogen de mensen om de spelers te bedanken. Deze stille dankbetuiging ontroerde meer dan welke ovatie ook.

Op een avond wankelde vlak voor de opvoering een van de musketiers in de deuropening van zijn kleedkamer en zakte in elkaar, terwijl zijn geschminkte gezicht een glimlach van verbazing bleef vertonen … Het was niet de eerste die Volski en Mila in de schouwburg zagen sterven, maar deze keer brachten zij de acteur naar het kerkhof. De weg was hun bekend en onderweg drong het werkelijke verschil tot hen door tussen de opvoeringen die ze die dagen speelden en het theaterleven van voor de oorlog. Nu stonden zij die op het toneel zongen en zij die in de zaal luisterden op gelijke voet met de dood. De op toneel geschapen illusie zo dicht bij het einde werd een oppermachtige waarheid.

Deze waarheid werd nog duidelijker tijdens de concerten die de zangers gaven als ze het front bezochten. IJskoude door granaten omgewoelde vlakten, een provisorisch podium van munitiekisten en de gezichten van soldaten van wie de meesten de komende dagen zouden sterven. Volski en Mila zongen dan vaak liedjes uit *De drie musketiers*, hun 'voorvertoning', zoals ze het glimlachend noemden.

Ze zouden nooit geloofd hebben dat de verdedigingslinie zo dicht bij Leningrad lag. Op het podium staand zagen ze dwars door de grauwheid van het winterlandschap de strakke omtrekken van torenspitsen en koepels. Hun stemmen vormden dan als het ware een teer scherm tussen de stad en de vijandelijke stellingen. Ze ontmoetten de blikken van soldaten, jonge of oude mannen, sommige met nog een zekere branie, andere dof, zonder dat er nog hoop uit sprak. De liedjes gingen over de zon en de liefde. Terwijl in die blikken af en toe de afschuwelijke saamhorigheid van veroordeelden zichtbaar was. Ja, een aanvaarding van de dood, maar ook de dwaze overtuiging dat ze meer waren dan een door bommen bestookt lichaam.

De zangers vormden een gemakkelijke prooi voor mitrailleurvuur vanuit een vliegtuig in duikvlucht. Toch was het hier, aan het front, dat Volski en Mila, de maaltijden delend met strijders, weer een beetje op krachten kwamen. Op een avond bekende Volski op het podium: 'Dankzij hun eten zou ik D'Artagnan van het begin tot het eind kunnen spelen …' Ze herinnerden zich dat ze aanvankelijk aan het eind van elke scène moesten gaan zitten om uit te hijgen.

Hij maakte een grapje toen hij het over D'Artagnan had, want hij kon zich niet voorstellen dat ze hem ooit meer dan een bijrol zouden geven. Toch werd het besluit over de rolverdeling niet genomen door de regisseur, maar door een zwijgzame figuur die bij elke uitvoering aanwezig was. Ja, de oude man met zijn zeis, met wie de spelers de spot dreven om de moed niet te verliezen.

De toneelspeelster die Marie speelde raakte tijdens een bombardement dodelijk gewond, vlak bij de schouwburg. Mila moest dezelfde avond haar plaats innemen. Tijdens de pauze holde ze, nog nahijgend van de schelmse liedjes, naar de kleedkamer waar de actrice, omringd door zangers en muzikanten, lag te zieltogen. Toen ze Mila zag, fluisterde ze: 'In de tweede akte, als je van D'Artagnan wegvlucht, moet je langzaam lopen, anders raak je buiten adem. Ik, in het begin …' Haar stem brak, haar ogen bleven strak gericht op de lange vlam van een kaars. De bel gaf aan dat ze op moesten.

Twee dagen later speelde Volski D'Artagnan. Hij volgde een acteur op die ze levenloos hadden aangetroffen in een flat met gesprongen ruiten.

De opvoering verliep zonder incidenten. Ze werd zelfs niet onderbroken door luchtalarm. Alleen Volski wist dat zijn spel aan een zijden draadje hing. Halverwege het stuk lieten zijn krachten hem opeens in de steek. Nee, hij viel niet, bleef met zijn degen zwaaien en enthousiast zingen. Maar er vond zoiets als een uittreding plaats: zijn lichaam sleepte zich de trappen op van een kasteel, zijn stem liet vrolijke roulades horen en heel ver weg van dit spel klonken de woorden van iemand die zich op een aantal jaren afstand bevond. In de ijskoude duisternis van de zaal zag hij toeschouwers buigingen maken en zich ervoor verontschuldigen dat ze niet meer in staat waren te applaudisseren. En op het podium zong een jonge vrouw aan wie hij zojuist zijn liefde had verklaard, want dat was het onderwerp van het stuk. Hij besefte dat deze kus op het toneel voor haar meer was dan een kleine handeling die het spel eiste. Deze bijzonderheid had hem moeten amuseren en toch voelde hij een zeer hevig verdriet dat afkomstig leek te zijn van de toekomst waarin deze operettekus een heel andere betekenis zou hebben … Hij merkte ook op dat de acteur die Porthos speelde dikke druppels zweette.

In plaats van hem af te leiden, maakte dat gevoel uitgetreden te zijn het hem mogelijk tot het eind door te gaan, tot het moment dat de toneelspelers elkaars hand pakten en naar voren liepen om het publiek te groeten. Mila glimlachte ontroerd en met een vuurrood gezicht, Porthos maakte buiten adem een buiging en veegde met zijn musketiershoed over de planken, Volski voelde in zijn keel nog het liedje vibreren dat hij zojuist gezongen had. En je kon je zelfs de golf applaus voorstellen en de mooie blote schouders van de dames in het publiek ...

Op dat moment kreeg zijn vreugde een egoïstisch motief: het verlangen om bewonderd te worden, wat hem weer deed denken aan de jongeman die zijn warme chocolademelk dronk: nee, dat zomerse verleden moest terugkeren, het leven, zijn jonge leven zou zijn loop hervatten, de nachtmerrie van een uitgehongerd Leningrad zou ophouden, nee, de stad zou niet vallen!

Hij ging zijn kleedkamer binnen, gooide zijn hoed met veer in een stoel, deed de riem met de degen af, trok de snor los, waarbij hij met een lelijk gezicht in een spiegel keek. En opeens zag hij in diezelfde spiegel Porthos. De man zat in een hoek, als een kind dat straf had, met zijn tegen elkaar gedrukte handen tussen zijn knieën en met een gezicht dat glom van het zweet. Volski wilde hem al een klap op zijn schouder geven, hem een compliment maken voor zijn spel toen Mila verscheen en hem beduidde mee naar buiten te komen ... De nacht ervoor was het Porthos gelukt zijn vrouw en kinderen een plaatsje te bezorgen in een van de vrachtwagens die de weinige geluksvogels buiten de belegerde stad brachten. 's Ochtends had hij gehoord dat het konvooi was gebombardeerd en dat er geen overlevenden waren. Hij was naar de schouwburg gekomen, had gespeeld. Het podium was maar een beetje verlicht, de toeschouwers hadden zijn tranen niet gezien. Zelfs de toneelspelers dachten dat hij koorts had en dat hij daarom ondanks de kou zweette.

Ze keerden zwijgend naar huis terug, door straten waar je regelmatig verstijfde lichamen tegenkwam. In de lucht dwarrelden, samen met sneeuwvlokken, stukjes papier die voorbijgangers opraapten, lazen en verscheurden. Vlugschriften die een Duits vliegtuig zojuist had afgeworpen: Moskou was ingenomen, het leger van het Reich was de Wolga overgestoken en rukte, zonder op verzet te stuiten, op naar de Oeral …

Je moest je vooral niet in de verleiding laten brengen het ook maar een tel te geloven, het gevaar zat hem in de twijfel die zich in de hersens vastzette en de wilskracht brak.

Nee, Moskou mocht zich niet overgeven! Ze dachten aan Leningrad, herinnerden zich de grauwe gezichten van de soldaten die zich, een paar kilometer verderop, vastklampten aan een smalle strook grond in een ijskoude vlakte.

'Ze vertelden me vlak voor de voorstelling over die 's nachts gebombardeerde vrachtwagens', fluisterde Mila. 'Ik had niet gedacht dat Porthos het tot het eind zou volhouden …' Ze bukte zich, raapte een paar strooibiljetten op, 'voor het vuur', zei ze met een glimlachje. Ze liepen verder. De man in tranen die op het podium had gezongen en gelachen werd voor hen een zwak maar vreemd genoeg onweerlegbaar bewijs: de stad zou niet vallen.

De volgende ochtend hoorden ze dat de opvoeringen zouden stoppen omdat zojuist was bevolen tot mobilisatie van de laatste mannen die nog niet aan het front zaten.

En toen ze 's avonds langs de Neva liepen, zagen ze matrozen grote zwarte kisten dragen die ze op een sleepboot laadden. Volski wilde ernaartoe, maar een soldaat snauwde hem af. Ze maakten rechtsomkeert en liepen een stukje met een oude man mee die waarschijnlijk ook had gezien dat er geladen werd. 'Ik heb zelf bij de marine gezeten', legde hij zachtjes uit. 'Ze zijn daar mijnen in de haven aan het leggen. Daarna gaan ze alle oorlogsschepen tot zinken brengen. Zodat er niets in handen van de Duitsers valt. Het is afgelopen, ze is verloren, onze stad.'

Gedurende een paar dagen gaven ze concerten in de buurt van de voorste linie, daar waar, tussen twee woorden die in een loopgraaf gewisseld werden, de dood toesloeg. Dezelfde wind, bij dertig graden onder nul, die het gezang met een ijslaag leek te omhullen, hetzelfde geril dat de toneelspelers door middel van branieachtige bewegingen verborgen. Maar de blikken die ze in de menigte soldaten ontmoetten, waren veranderd. Deze mannen wisten inmiddels dat hun dood niemand meer bescherming zou bieden. Om Moskou te redden, waarvan de Duitsers het verzet al aan het breken waren, zouden ze Leningrad opofferen. De aloude wedijver tussen de beide grote steden draaide die winter uit op een hopeloze keuze.

De zangers keerden niet meer terug naar huis, maar werden gehuisvest in een onderkomen voor arbeiders dat door de mobilisatie leeg was komen te staan. Vanuit die locatie in de voorstad was het makkelijker om aan het front te komen. Al een aantal keren hadden ze om wapens gevraagd omdat ze in een gevechtseenheid wilden worden opgenomen. De oude militair die hun gezelschap begeleidde, gaf vreemd genoeg hetzelfde antwoord als de directeur van het Muziektheater ooit had gegeven: 'We kunnen jullie stemmen goed gebruiken ...'

Hij zei het nog eens op een avond toen hij liet weten dat hun concert de volgende dag zou plaatsvinden op een zeer gevaarlijke plek. 'Jullie zullen zingen terwijl er geschoten wordt,' voegde hij eraan toe, 'dus wil ik alleen vrijwilligers mee hebben …' De reactie bestond uit een stortvloed aan vrolijk verontwaardigde uitroepen: 'Kapitein, begint u soms aan uw musketiers te twijfelen?' Eén speler hief het lied aan dat Porthos gezongen had. De 'kapitein' legde hun met een gebaar het zwijgen op. 'Ik kan jullie er niet meer over zeggen, maar de omstandigheden zullen echt zwaar zijn. Denk er goed over na …'

Ze vertrokken aan het eind van de nacht, in een legerwagen: veertien zangers, tien muzikanten beladen met hun instrumenten, niemand ontbrak op het appèl. De rit duurde niet lang (je kon geen grote afstanden meer afleggen rond de belegerde stad) en de plek waar ze uitstapten leek niet veel te verschillen van de locaties waar ze gewoonlijk hun concerten gaven. Behalve dat er deze keer nergens iemand te zien was. Sterren die helder flonkerden, een witte uitgestrektheid die afliep naar een bevroren rivier, daarna weer opliep tot het hoogste punt van de oever aan de overkant. Geen enkel geluid, alleen hun gefluister (de 'kapitein' had hun gevraagd niet hardop te praten). Geen podium, ze stelden zich op op een verhoging van aangestampte sneeuw, de zangers voor, de muzikanten iets erachter, allen met hun gezicht naar de rivier, meer gehoorzamend aan een voorgevoel dan aan een bevel. Daarginds, achter het hoogste punt, hield zich een geheimzinnig gehoor op …

De militair liep tussen hen door, schudde eenieder de hand en stamelde nu eens een spreuk ('Niemand gaat twee keer dood, maar één keer, daar zal iedereen aan moeten geloven'), dan weer een wens die heel vreemd klonk uit de mond van een officier: 'Goed, aan de slag, met Gods hulp!' Hij klonk verward, maar zijn emotie was oprecht en op dat moment drong tot hen door dat het om een heel ander concert ging dan de eerdere.

'Kijk, die ster, dat is de ster die je vanuit mijn raam ziet ...' Volski kreeg nog net de tijd om die woorden in Mila's oor te fluisteren. Zij kreeg nog net de tijd om omhoog te kijken ...

Opeens trilde de vlakte, die kaal leek, en er verschenen overal puntjes. Door het onverwachte bleef het enkele seconden stil in het donker, daarna barstte in één klap het schieten los. In de lucht verspreidden zich de doffe klanken van een 'hoera!' De 'kapitein' zwaaide met zijn armen, de muziek zette in. De zangers overstemden door de kracht van hun stemmen én het geschreeuw van de soldaten én het lawaai van de eerste schoten.

Ze zongen 'De internationale', niet al te verbaasd over de keuze die de 'kapitein' had gemaakt (hun repertoire was lyrischer). Slechts weinigen onder hen geloofden vurig in het communisme maar de woorden die uit hun mond kwamen, gaven een werkelijkheid weer waar je moeilijk omheen kon. Die speelde zich af voor hun ogen. Eerst was daar de witte vlakte, bespikkeld met donkere figuurtjes die naar de rivier holden. Daarna zag je de eerste lichamen die vielen, en op het hoogste punt van de oever aan de overkant de Duitse stellingen die zich blootgaven door de lijn van sneeuwduinen te verbreken met de inkervingen van hun wapens. Ten slotte in het mooie heldere licht van die winterochtend een lang rood spoor, achtergelaten door een soldaat die in de richting van de zangers kroop alsof zij hem hadden kunnen beschermen.

Alles liep op de oevers door elkaar. Een groep aanvallers

deinsde uitgedund terug en stuitte op de rij achter hen die in de aanval ging, sloot zich erbij aan, rukte enkele tientallen meters op en viel neer, getroffen door het steeds nauwkeuriger vuur van de Duitsers. Een andere verzameling menselijke stippen kwam al overeind en stortte zich op de bevroren helling van de hoge oever. Het geknetter van de vuurgevechten hield niet meer op, met daartussendoor ontploffingen, geroep van commandanten en geschreeuw van gewonden. Vooral van die ene gewonde, die nog steeds in de richting van het orkest kroop terwijl hij hartverscheurend jammerde en de sneeuw met zijn bloed besmeurde.

Het gezang gaf de wanorde van al dat sterven een weids en ernstig ritme en het leek alsof het voorbij het slagveld te horen was. Ze waren maar met weinigen op hun podium van aangestampte sneeuw, maar de soldaten hadden het gevoel dat zich achter hen de kracht van heel het land verhief.

Ze zongen het lied voor de derde keer toen Volski de strijders in de gaten kreeg die zojuist het hoogste punt van de oever aan de overkant hadden bereikt. Een mitrailleursalvo maaide ze neer, maar hun lichamen markeerden de voorste grens van de aanval. Hij zag alles, ondanks de inspanning die het zingen vereiste. Op het ijs van de rivier klampten mannen zich vast aan de affuit van een kanon, waarvan de wielen in een hoop opgewaaide sneeuw waren blijven steken. Hun bewegingen waren tegelijkertijd gejaagd en pijnlijk traag, zoals die van een hardloper in een nare droom.

Hij zag ook wat de nacht verborgen had gehouden: beneden in het dal een verwoest dorp, verbrande daken en, opvallend ongeschonden, een huis daar onder een heel hoge boom dat als door een wonder behouden was gebleven. De gril van een oorlogsdag ... Nog een gril, die jonge gewonde soldaat die, vlak bij hun koor, in elkaar gedoken, een betraande blik op hen vestigde. Het begrijpelijke lijden van een grote groep mensen en, opeens, het lijden van een enkeling dat geen enkele logica begrijpelijk kon maken.

Deze aanval was meer een vertwijfeld bravourestukje, een laatste gevecht van een al verloren oorlog, dan een strategische beslissing. Heel lang na het einde van de oorlog zou Volski deze decemberdag vermeld vinden in twee geschiedenisboeken. Het eerste boek had het over 'het deelnemen van kunstenaars uit Leningrad aan de verdediging van de stad' zonder iemand met name te noemen. Het tweede boek, veel recenter, sprak van 'een tegenoffensief voor de schijn, opgezet door leidinggevenden die probeerden zich tegenover Stalin te rehabiliteren'. Geen van beide boeken maakte melding van de soldaat die zojuist een spoor van bloed in de sneeuw had getrokken, of van de rust rond het huis dat onder zijn boom behouden was gebleven en al helemaal niet van de donkere haarlok die onder de sjaal van Mila uitkwam en die terwijl Volski zong net even door het wolkje van zijn adem werd beroerd.

Ook zou geen enkel geschiedenisboek aandacht besteden aan die keten soldaten die het lukte tegen de helling op te klauteren. Hun gestalten tekenden zich scherp tegen de hemel af en werden door kogels weggevaagd, de volgende golf slaagde erin iets hoger te komen. De zangers wisten niet meer hoe vaak ze 'De internationale' hadden aangeheven, maar bij het zien van die mannen klonken de woorden 'de eindstrijd' met nieuwe juistheid.

Vanaf dat moment raakten ze steeds verder ingesloten door

explosies. Later, in het leger, zou Volski leren mortiervuur te herkennen, met zijn verraderlijke baan, verticaal, wat de indruk wekt dat de granaten uit de hemel vallen. Nu merkte hij alleen op dat de inslagen om hen heen steeds dichterbij kwamen. Een explosie joeg de sneeuw achter het orkest op en zonder zich om te draaien leidde hij uit een korte hapering in de melodie af dat een van de muzikanten getroffen was. De zangers zetten hun stem nog meer kracht bij, met ongeremde uitgelatenheid, met de vreugde door de vijand opgemerkt te zijn en dus in deze strijd een rol te spelen.

Hij viel zonder gewond te zijn geraakt. Een zanger rechts van hem kreeg een scherf midden in zijn gezicht, viel om en sleepte hem in zijn val mee. Zodra hij weer stond zag Volski hun gezelschap zoals het waarschijnlijk vanaf de andere oever te zien was: twee rijen zangers, een halve cirkel muzikanten, en reeds lege plekken die de doden hadden laten ontstaan. Toch had het gezang niets aan kracht ingeboet. En op het hoogste punt van de helling ettelijke tientallen soldaten die daar nu aan het vechten waren, granaten gooiden, mitrailleurs neerzetten tussen de lichamen van gesneuvelde kameraden.

Ze hadden achteruit moeten lopen, weg moeten vluchten in de richting van de legerwagen. Ervandoor moeten gaan. Maar niemand verroerde zich. Degene die het bevel tot terugtrekken had kunnen geven, hun 'kapitein', lag roerloos op het pad dat afliep naar de oever … Ze zongen met een gevoel van vrijheid zoals ze nog nooit eerder hadden ervaren. De minachting voor de dood deed intense, uitgelaten vreugde in hun uitgemergelde lichamen opwellen. Tussen hun wimpers glinsterden tranen. Volski zag een zanger die met een bebloed hoofd probeerde weer op te staan om naar zijn plaats terug te keren. Daarna een bekkenslag die over de ijskoude helling schalde ...

Toen was het opeens stil, het licht veranderde in duisternis, van waaruit woorden klonken die hij probeerde thuis te brengen. Dat was dus ... Door de moeite die hij deed, werd hij wakker. In de wattige rook zoals die zich na een ontploffing verspreidt, hoorde hij een stem en toen hij weer uit zijn ogen kon kijken, merkte hij dat hij midden tussen andere lichamen lag en vlak bij zijn gezicht zag hij de ogen van Mila, haar bruine krullen die niet langer werden bedekt door haar sjaal en, bovenaan op haar voorhoofd, een lange streep bloed. Hij zei iets tegen haar maar hoorde zichzelf niet. De enige woorden die hoorbaar waren, waren de woorden die zij neuriede ... De rol van Marie, uit het stuk dat ze hadden gespeeld ...

Voor hij opnieuw wegzonk, staarde hij naar dat hem toegewende vrouwengezicht, ingevallen door de honger en geschonden door de verwondingen. Op dat moment beleefde hij, heel kort, het begin van een leven waarvan hij nooit had gedacht dat het op deze aarde mogelijk was.

Hij zag Mila niet weer en wist ook niet of ze in Leningrad werd verpleegd of op een nacht met een konvooi vrachtwagens was geëvacueerd. Hij was op Oudejaarsdag uit het ziekenhuis ontslagen en kwam terecht bij een artilleriecompagnie op een paar kilometer afstand van de plek waar hun laatste concert had plaatsgevonden. De greep van de blokkade was iets losser geworden, een paar stadjes hadden op de vijand heroverd kunnen worden en in één ervan raapten kameraden van Volski een pak mooie kaarten op met een tekst in het Duits in weelderige gotische letters. Een officier las wat erop stond en liet een vloek horen. Het waren uitnodigingen voor de feestelijkheden ter gelegenheid van de val van Leningrad. De viering stond gepland voor 18 december, in hotel Astoria ... Volski herinnerde zich dat hun koor twee dagen voor die datum gezongen had.

Hij was er trots op dat hij door dat concert had bijgedragen aan de verdediging van de stad. Voor hij hoorde dat de Duitsers half december bij Moskou waren verslagen, dat dit Leningrad had gered en de mooie uitnodigingen in gotische letters overbodig had gemaakt ... Een van de lessen van die vier jaar strijd was dat het onmogelijk was uit te maken wat in de oorlog het meest telde: collectief optreden of individueel heldendom, twee veranderlijke en onzekere factoren die niet te vergelijken waren.

De oorlog leerde hem weinig lessen. In belegerd Leningrad was hij net zo vertrouwd geraakt met de dood als een soldaat. Nu hij over met lijken bezaaide akkers liep, verbaasde hij zich over hun aantal, maar het volstrekt unieke van elke dode bleek hier aan het front juist door het aantal veeleer te vervlakken, te verdwijnen.

Nee, een heleboel kleine bijzonderheden die vaak van vitaal belang waren, moest hij natuurlijk eerst nog ontdekken. Dat ongeschonden huis in dat met de grond gelijk gemaakte dorp en die heel hoge boom die hij tijdens hun laatste concert had gezien. Hij wist nu dat de boom het krot had beschermd. Een doelwit dat logischerwijs het eerst in de lucht had moeten vliegen. Maar artilleristen hebben hun eigen logica. Ze richten het schot aan de hand van een oriëntatiepunt (een klokkentoren, een paal of een boom) en dat oriëntatiepunt blijft te midden van de puinhopen gespaard, als beloning voor zijn ballistieke nut.

Hij herinnerde zich ook de soldaten die maar om hun kanon op de oever heen liepen op de dag dat de vertwijfelde aanval plaatsvond. Zijn oorlog was inmiddels het almaar door de sneeuw of de modder lopen, tot hij ten slotte het wachten op roemrijke wapenfeiten, schitterende heldendaden opgaf. Hij beperkte zich ertoe te bestuderen hoe het grove mechanisme van de gevechten werkte. Spoedig was een blik voldoende om te bepalen hoe dik het staal was van de pantserwagens waar hij op mikte. Op het gehoor herkende hij het kaliber van het kanon dat bulderde, de verschillende fluittonen van de granaten. Afstanden, banen kregen een tastbare concreetheid, alsof ze geschreven stonden in de lucht die hij inademde.

Toch werd al die kennis af en toe lachwekkend betekenisloos, zoals die avond na afloop van een korte schermutseling. Het schieten was verstomd, zijn kameraden rolden hun sigaretjes en opeens viel een van hen neer met een rood vlekje boven zijn slaap: een verdwaalde scherf. Geen enkele succesvolle actie kon dat verstarde jonge gezicht, die unieke persoon die voor onze ogen veranderde in dode materie, weer tot leven wekken. Ja, hij leerde ook deze les: in de oorlog zijn de moeilijkste momenten die van rust, want een gesneuvelde man die stil in het gras ligt, laat de levenden de wereld zien zoals die zonder hun waanzin zou zijn. Het was een voorjaarsdag, de strijd vond plaats in de buurt van een bos met onderhout dat wit zag van de bloeiende wilde kersenbomen en de lelietjes-van-dalen.

Hij werd ingezet aan het front dat Leningrad verdedigde. Daarna naar een stad aan de Wolga gestuurd die koste wat kost moest standhouden omdat zij de naam van Stalin droeg. In die strijd werd hij door een kogel in het gezicht getroffen: een kerf in zijn linkerwang die hem blijvend iets van een lichte grijns bezorgde. 'Met mij is het nooit een treurige boel', werd daarom zijn vaste grapje.

Een jaar later, tijdens de reusachtige slag bij Koersk, veranderde Volski onherkenbaar.

Hij had de hel al gezien die een oorlogsdag kan zijn op een mooie voorjaarsdag. Maar daarvoor waren het hellen waar mensen het voor het zeggen hadden. Deze keer ontsnapte het werk aan zijn makers. In plaats van een offensief met hollende infanteristen en kanonvuur ter ondersteuning, werd het een afschuwelijk treffen van enorme aantallen tanks, hordes zwarte schildpadden, die met hun schilden tegen elkaar botsten, vuur uitbraakten, als fakkels brandende mensen uit hun brandende schelpen wierpen. De hemel was vol rook, de lucht stonk naar uitlaatgassen. Geen enkel geluid kwam boven de explosies en het knarsen van oververhit metaal uit. Met zijn kameraden artilleristen zat Volski met de rug klem tegen de overblijfselen van een verdedigingswerk, ze konden niet terug en ze konden ook niet echt schieten: de tankduels vonden te dichtbij plaats, gingen te snel, ze hadden het kanon moeten kunnen bedienen met de vlotheid van een revolver. Toch waagden ze hun kans, troffen de koepel van een Tiger, maar schuin, en kregen als reactie een mitrailleursalvo over zich heen. Een logge zwarte schildpad had hen zojuist ontdekt. Terwijl hij met een strakke blik de bewegingen van het beest in de gaten hield, gaf Volski degenen die achter hem de granaat moesten plaatsen een teken. Niemand verroerde zich. Hij draaide zich om: een kanonnier was dood, een andere zat met zijn gezicht onder een stroom bloed te schreeuwen zonder dat hij in al het lawaai gehoord werd.

Daarna ging alles met de traagheid als in een nare droom, hem welbekend, waarbij elke beweging minutenlang leek te duren. Een granaat uit de kist pakken (zwaar en glad als een stuk speelgoed dat stil in zijn handen lag), hem meenemen, in de kulas plaatsen, laden, richten ... Eindeloze seconden waarin de loop van de tank in zijn richting zakte alsof de schutter voor de lol alle tijd nam. Geen enkele hel kon kwellender zijn.

Wat er gebeurde kon hij pas later reconstrueren, toen hij bij het vallen van de avond in staat was zich de dingen te herinneren, te begrijpen wat zich had voltrokken. Hij kreeg de tijd niet om te schieten en toch spatte de koepel van de Tiger uit elkaar en vlogen de lichamen van de in de tank opeengepakte bemanning in het rond. De kracht van de ontploffing wierp Volski op de grond en in een fractie van een seconde zag hij het hoekige pantser van een ander monster, een reusachtige elektrisch aangedreven loop, de befaamde su-152, de tankvernietiger die zojuist zijn leven had gered ...

's Avonds viel er een druilerig regentje. Nu hij zijn gehoor weer terug had, hoorde hij het sissen van het water op het gloeiend hete metaal van de pantserwagens. Gejammer in de vlakte, die overvol was met donkere voertuigen. Woorden in het Russisch, wat duidelijk maakte wie bij deze botsing van staal de overwinnaar was.

En opeens, opdoemend uit het halfdonker, die wankelende gestalte: een Duitse tanksoldaat die, ongetwijfeld in een toestand van verdoving, blindelings te midden van de pantsers ronddoolde. Volski trok zijn pistool, richtte ... maar schoot niet. De soldaat was jong en na het gruwelijke dat hij zojuist had meegemaakt leek het hem niets te kunnen schelen wat hem nog zou kunnen overkomen. Hun blikken kruisten elkaar en onwillekeurig groetten ze elkaar. Volski stopte zijn pistool weg, de tanksoldaat verdween in het donker van de zomeravond.

Het werd een korte nacht en omstreeks drie uur in de ochtend maakte de duisternis al plaats voor een asgrijs bleek licht in de omgeving. Hij stond op, klom op een muurtje van de versterking. Je kon de vlakte tot aan de nevelige horizon overzien. En het gehele oppervlak ging schuil onder het donkere harnas van tanks die schots en scheef door elkaar stonden. In die duisternis vol metaal waren vaag mensen te onderscheiden: Russische of Duitse gewonden die in de verstikkende benauwdheid van de geschutkoepels op hulp wachtten. Mensen met brandwonden, kwetsuren die geen hoop op overleven lieten, en wier ogen de hemel konden zien waaruit de regen net was weggetrokken, het gesternte recht boven die … Wat hij dacht was: die hel, maar het woord leek hem onjuist. De hel liep over van de kleine beulen die de gevallen mensen graag lieten lijden. Hier wachtten de gewonden op de dood in de eenzaamheid van een stalen blok, dicht tegen de lichamen van al dode kameraden.

Het verbaasde hem dat hij geen onderscheid maakte tussen Russische en Duitse gewonden. Een door mensen geschapen hel … In verwarring gebracht door een waarheid die hij niet kon bevatten, haastte hij zich om terug te keren naar een scherper oordeel: de vijand was zojuist verslagen en de Duitsers die in hun tanks lagen te creperen hadden dat verdiend … Toch was het niet gemakkelijk afstand te doen van die kijk op het lijden van alle mensen. Volski voelde het als een grote en schrikwekkende wijsheid die op hem drukte alsof het de ervaring van een heel oude man was. In het belegerde Leningrad was het hem ook al overkomen dat hij de levens van mensen zag als één enkel gemeenschappelijk leven en het was misschien deze kijk die hem hoop gaf.

Voor de zon opkwam hoorde hij, als een enigszins gedempt geluid, de herhaalde korte roep van een vogel. Een eenvoudig, saai lied, maar dat klonk voor alle levenden en doden.

De soldaat die Volski hielp met het wegbrengen van de lichamen van zijn kameraden, groette hem met een ongewoon: 'Nou, sterkte, opa!' Opa! Volski glimlachte, dacht dat de ander, van dezelfde leeftijd als hij, maar wat kletste, uitgeput door de slapeloze nacht. Hij was die vreemde groet

alweer bijna vergeten tot de verpleegster die zijn pols verbond besloot met de woorden: 'Alstublieft, opa, zo bent u
helemaal klaar voor een volgende slag.' Hij schoot in de lach
en zag in de ogen van de vrouw een zweem van twijfel. Aan
de muur van de eerstehulppost hing een spiegel. Hij ging
ernaartoe ... En legde een hand op zijn hoofd alsof hij het
wilde verbergen. Zijn haar was wit, van dat sneeuwachtige
wit dat sommige grijsaards zo goed staat.

Vanaf die dag hield hij op met Mila te schrijven. De blokkade van Leningrad ging door en Volski wist wat dat betekende voor een vrouw die de ellende al twee jaar meemaakte.
Hij kon zich de belegerde stad in de zomer, enorme aantallen huizen vol lijken, voorstellen ... Niet één brief van Mila
had hem bereikt: post kwam maar zelden door de mazen van
de blokkade heen. Bovendien, hoe kwam je erachter waar
hij zat, hij die van het ene naar het andere front was overge-
plaatst? Door al die verklaringen te verzinnen kon hij blijven
geloven dat Mila nog leefde.

Toen hij zich de dag na de slag bij Koersk op de eerstehulppost in de spiegel zag, verloren al deze veronderstellingen
over de gang van zaken met de post hun grond. Die grijsaard
met een merkwaardig jong gezicht en met een lichte grijns
was een geheel ander mens geworden.

Deze mens trok bijna kalm weer ten strijde, bedenkend dat
degene die hij was geweest niet meer bestond, een beetje alsof hij gesneuveld was. Dat verdwijnen van de hoop maakte
van hem een goede soldaat. Geen brieven, geen wachten op
brieven, geen zielenroerselen, die in de oorlog vaak reden tot

onoplettendheid zijn en dus tot de dood leiden. Hij versmolt met het kanon dat hij bediende, werd een efficiënt mechanisch onderdeel, onverstoorbaar, karig met woorden. En op den duur verdween zelfs zijn verbazing tegenover de jonge mensen die hem 'opa' noemden.

Veranderd was hij ook in wat hij vroeger als zijn ware bestemming, zijn droom, zijn begaafdheid beschouwde: zingen. Het gebeurde wel dat hij met zijn kameraden in koor zong, tijdens een pauze, of marcherend in een colonne die haar vermoeidheid verdreef door vrolijke liedjes te zingen. Deze liederen bevielen hem, ze drukten de onmiddellijke waarheid van de oorlog uit. De alledaagsheid van de dood, de zorgeloosheid van een zomerdag, de geur van gras aan de zoom van een bos, een handvol bessen, snel geplukt tussen de bomen en van daar een blik op de colonne soldaten en de bedwelmende gedachte: ik hoor niet meer bij hen, ik ben in dit bos, er zijn bloemen, ik hoor het slaapverwekkende zoemen van bijen … En hij holde om zijn plaats weer in te nemen te midden van deze mannen die zingend op weg waren naar de dood.

De snelheid waarmee hun gezichten, die bij het horen van een lied gingen stralen, weer verbleekten tijdens de dagelijkse slachtpartijen, dat gemak waarmee een mens werd weggevaagd, was de enige werkelijkheid die Volski van zijn stuk bleef brengen. En dankzij die koren onthield hij de gezichten van zo veel omgekomen mannen. Met zijn oor van professional, hoewel dat zwaar te lijden had onder de artillerie, herinnerde hij zich hun stemmen (mooi, dof, aandoenlijk in hun ijver of op naïeve wijze overmoedig) en die klanken deden een blik, een glimlach herleven. Zo bestonden die door de oorlog weggerukte levens in het zingen voort.

Het kwam zo ver dat hij niets meer moest hebben van de prachtige opera-aria's waarvan hij vroeger had gedroomd. Hij vond ze nu vals klinken, al die bulderende Borissen Godoenov, die, op het hoogtepunt van dramatische vervoering, hun baard naar voren staken om beter het machtige trillen van hun stem tot zijn recht te laten komen. Belachelijk ook die mollige legioensoldaten in Italiaanse opera's die de schubben van hun messing wapenrusting lieten rinkelen. Of zij, in rokkostuum, met een borst die bol stond van de mannelijkheid alsof het zegevierende haantjes waren.

Nee, zijn hartstocht voor de magie van het theater was nog steeds levendig. Maar na wat hij in Leningrad had meegemaakt, en later tijdens de slag bij Koersk, vroeg hij zich vaak af wat het doel was van die opvoeringen. Mensen vermaken? Ontroeren? Ontspanning bieden? De oren strelen van vrouwen met blote schouders en mannen met lakschoenen, die stellen die elkaar na de opera terugzagen in restaurants en de prestaties becommentarieerden van een legioensoldaat of een haantje in rokkostuum?

Soms begon hij, tussen twee gevechten door, met zijn rug tegen de affuit van zijn kanon gezeten, spontaan te neuriën, een gefluister dat niemand kon verstaan. Gewoonlijk waren het de liedjes van D'Artagnan.

Aan het eind van de oorlog was hij in de omgeving van Berlijn te vinden, aan de oever van een meertje waarvan de rand was stukgereden door de rupsbanden van tanks. Met twee andere soldaten was hij bezig de batterij op te stellen toen hun het bericht van de overwinning bereikte. Hij kwam overeind en zag wat hij de dag van zijn laatste concert al had gezien in de buurt van Leningrad: een oever, soldaten die zich aan een kanon vastklampten en wier leven afhing van de snelheid van de schoten. De cirkel was rond, dacht hij, glimlachend tegen de soldaten die hun vreugde uitschreeuwden. 'Het is zover, opa, nu gaan we er één drinken en dan gauw naar huis!'

Hij overwoog dat zijn witte haar slechts een grappig merkteken was van de oneindig lange duur van de jaren dat hij in de oorlog had gezeten. Mensenlevens die zo snel door de dood waren weggevaagd, zo veel steden die waren voorbijgetrokken dat het gevoel ouder te zijn geworden helemaal niet zo raar was. Een cirkel die nu rond was, en daarbinnen nog een heel leven. Zijn leven.

De eerste vredesdagen dacht hij af en toe aan Mila, en stelde zich voor hoe ze het zou hebben gevonden die jongeman met wit haar te ontmoeten. Hun verleden leek te behoren tot een verre jeugd die iemand anders had meegemaakt. Ja, degene die, verkleed als musketier, op het toneel een jonge heldin had gekust die net uit een klooster was gekomen. Hij bedacht toen dat de enige band die hen nog verbond, werd gevormd door het oude tekstboekje van een ouderwetse operette, geschreven door een vergeten auteur.

'Aan jou, mijn teerbeminde, zal ik mijn droom toevertrouwen ...' neuriede hij zacht in de trein die hem naar Rusland terugbracht. Zijn reisgenoten hielden hem voor een oude soldaat met een opgewekt humeur.

Op weg naar zijn geboortedorp, ten zuiden van Smolensk, verwachtte hij niet een verleden aan te treffen waar je graag aan terug zou denken. Dit deel van Rusland was eerst verwoest door het Rode Leger, dat zich terugtrok en niets in handen van de vijand wilde laten vallen, daarna was het hevig gebombardeerd door de luchtmacht en ten slotte was door de Duitsers op hun terugtocht alles in brand gestoken wat de bommen had weerstaan. Van zijn straat (een rij in de as gelegde sparrenhouten hutjes) stond alleen de oude klokkentoren van de kerk nog overeind, 'als door een wonder gespaard', vertelde een oude vrouw hem die hij vroeg naar het lot van de bewoners, van zijn eigen ouders. Een wonder ... Hij nam niet de moeite uit te leggen dat de klokkentoren een mooi oriëntatiepunt was, dat degenen voor wie het naburige spoorwegknooppunt doelwit was geweest hem bewust hadden gespaard. De overlevenden hadden het nodig in wonderen te geloven. In de tuin van zijn verwoeste huis was trouwens ook zo'n wonder geschied: een in tweeën gebroken kersenboom was opnieuw uitgelopen en zat nu vol piepkleine sneeuwwitte bloesem.

In Leningrad was de kamer die hij vroeger huurde bezet. Zijn nieuwe hospita liet hem weten: 'Bij u kan ik gerust zijn, dat is anders dan met die leeghoofdige jongelui. Ik neem alleen oudere personen ...' Het verbaasde Volski dat nadat er zo veel doden waren gevallen de flats stampvol zaten, daarna begreep hij dat de mensen afkomstig waren uit omliggende dorpen die door de gevechten met de grond gelijk waren gemaakt. 'Dus uiteindelijk heeft die oorlog bij u niet al te veel schade aangericht', vervolgde de vrouw. 'En nu, met uw medailles, ziet u er helemaal mooi uit!' Volski haalde zijn schouders op: wat moest hij daarop antwoorden? Om niet onbeleefd te lijken, stamelde hij: 'Zo veel medailles heb ik niet. Bij de artillerie sta je altijd achter de anderen ...' Hij vond zijn woorden stompzinnig, het was niet gemakkelijk om over de oorlog te praten. Wat viel er trouwens ook te vertellen? Die tanks waarvan het oververhitte staal in de regen gesis liet horen? Hun geschutkoepels waarin gewonden, Russen en Duitsers, hun laatste adem uitbliezen? Uitleggen dat aan het front niet die schijfjes die medailles voorstelden zijn grootste vreugde waren, maar een handvol bosaardbeien, in de gauwigheid geplukt voor hij zijn plaats weer innam in de colonne soldaten? En dat zijn grootste angst maar nauwelijks een paar seconden had geduurd: de op hem gerichte loop van een tank, waarbij het leek alsof men het leuk vond hem schrik aan te jagen? En dat die paar seconden van hem een jonge grijsaard hadden gemaakt, zodat hij in de ogen van een hospita heel betrouwbaar leek? Nee, die dingen, hoewel volkomen waar, daar kon je onmogelijk mee voor de dag komen.

Volski herinnerde zich dat hij zich al een keer eerder niet tot spreken in staat had gevoeld: met Mila, in de belegerde stad.

Hij ging kijken bij het huis waar ze gewoond had. Het gebouw stond nog overeind, maar de grilligheid van een bombardement had de trap tussen de begane grond en de eerste verdieping verwoest. De mensen gingen hun woning binnen met behulp van ladders. Niemand kende Mila. Het waren vooral provincialen die uit hun in puin liggende dorpen waren weggetrokken.

Dankzij hen leek de stad jonger geworden. De bewoners van Leningrad die de blokkade hadden doorstaan, baanden zich zwijgzaam en bleek een weg door die uiteenlopende massa mensen. De verscheidenheid aan vrouwengezichten bracht je het hoofd op hol. Men sprak gemakkelijker met elkaar, er werd meer geglimlacht, iedereen had haast om via een ontmoeting, het wisselen van een blik het leven weer op te pakken. Volski had nog nooit zo veel gesprekken aangeknoopt met onbekenden, met vrouwen. Een keer sprak hij met twee studentes die hij in café Het Noorden tegenkwam ... Alles bij dat aangename gebabbel was verbazingwekkend: de zaal die niet veranderd was, de opgewekte meisjes, de luchtigheid waarmee hij de oorlog ter sprake bracht, waarbij hij de branie uithing, vertelde dat soms een granaat een vlucht eenden trof en dan: smullen geblazen! 'Uw stem klinkt zo jong ...', zei een van hen en hij zag haar nog net een blik op zijn witte haar werpen.

De volgende dag ging hij naar een kapper. Ze boden hem de keus uit zes kleuren, hij gaf de voorkeur aan zwart. Terwijl het wit onder de donkere haarlokken verdween, dacht hij aan Mila. Waarschijnlijk is ze dood, hield hij zich voor met de hardheid die hij in de oorlog had geleerd. En hij voelde dat de gedachte iets in hem kapotmaakte. Nee, waarom dood? Ze is getrouwd en woont misschien hier vlakbij. En bovendien, wat bindt ons nog? Een kus in een operette. 'Aan jou, mijn teerbeminde ...' Met mijn witte haar zou ze me al niet herkend hebben, maar nu, met die morenkop! Het lukte hem weer in de vrolijke stemming te komen die hem de dag ervoor, in gezelschap van de twee studentes, zo'n goede zin had gegeven.

Op een zaterdag ging hij naar een opera in het Kirovtheater. Voor hij naar boven liep om zijn balkonplaats in te nemen, wierp hij een korte blik in de spiegel. Zijn haar, dat wat te veel glansde, zag er toch niet als geverfd uit. Hij voelde alleen iets, hoog op zijn voorhoofd, dat leek op de stugheid van een pruik. Voor het overige nam hij een jongeman waar die trots was op de pracht van een zware rode ster die boven zijn hart zat vastgespeld.

Er waren in de zaal veel met onderscheidingen behangen uniformen, kleren van goede snit, die je je moeilijk tijdens de oorlog op modderige wegen kon voorstellen. Theaterkostuums, dacht Volski, verbaasd over de treffende gelijkenis. Officiersstrepen, glimmende laarzen waarin de schittering van de grote kroonluchter weerkaatste, gewichtige, voldane blikken … Overwinnaarsblikken, hield Volski zichzelf voor en merkwaardigerwijs voelde hij zich buiten dat kamp staan. De blankheid van de huid die door de vrouwenkleding bloot werd gelaten, trof hem als een kleur die hij vergeten was …

De opera (het was *Rigoletto*) deed én de bezorgdheid over zijn geverfde donkere haar én het vertoon van uniformen in het niet verdwijnen. Een merkwaardig instrument voor klankvoortbrenging en klankwaarneming, een samengaan van zijn stembanden en zijn geheugen, werd in hem wakker. Hij luisterde met de oren van een zanger. En op een gegeven moment meende hij de ademhaling van de vorst te horen.

Hij luisterde zo geconcentreerd dat hij opschrok toen in

zijn gedachten deze spijtbetuiging weerklonk: 'Ik had ook kunnen ...', zozeer was hij ervan overtuigd dat de woorden door zijn buren werden uitgesproken. Het applaus zette hem weer met twee benen op de grond. Hij deed na wat de andere mensen deden, maar zijn handen kwamen hem net zo onecht voor als zijn zwarte haar.

Zijn aandacht verslapte. Hij zag nu wat veel andere toeschouwers zagen zonder dat ze het durfden toegeven: toneelspelers, de een verkleed als vorst, de ander als slachtoffer van zijn vleselijke lust, personages die nu eens droevige, dan weer vrolijke liedjes zongen. Dat alles werd bekeken door mannen die zich houterig bewogen in hun uniformen en door vrouwen die waarschijnlijk pijnlijke voeten hadden van de nauwe schoenen die ze voor de gelegenheid hadden aangetrokken. En door een idioot die zijn haar had geverfd in de hoop om bij die vrouwen in de smaak te vallen ... Volski glimlachte bij al die kleine gedachten die hem het gevoel van onbehagen dat door een paar woorden was opgeroepen deden vergeten: 'Ik had ook kunnen ...'

Op een gegeven moment zong de vorst: 'Ik ben een arme student!' Hij had zich zojuist vermomd om de vrouwelijke hoofdpersoon beter te kunnen verleiden. Het was een toneelspeler in zijn rijpere jaren, zwaarlijvig, met een dik gezicht dat zwaar roze was geschminkt. Zijn vlezige dijen die onder een dun beige tricot uitkwamen straalden een dubbelzinnige wulpsheid uit. Een arme student! Volski boog het hoofd om zijn glimlach te verbergen, wreef over zijn kin, kuchte eens ... Maar het lachen borrelde al op uit zijn longen, kwam naar boven door zijn keel ... Mensen sisten 'ssst', hij bedekte zijn gezicht, drukte zijn nagels diep in zijn wangen en omdat hij niet in staat was die lachexplosie te onderdrukken, baande hij zich een weg naar de uitgang, waarbij hij op voeten trapte, tegen knieën stootte, achtervolgd werd door boze blikken ... Er barstte applaus los als was het een blijk van waardering voor het vertrek van die lomperik.

In de koelte van de garderobe kwam zijn lach tot bedaren. Een medewerkster keek hem medelijdend aan: zijn ogen waren rood van de tranen. In zijn proestende gelach had ook droefheid doorgeklonken. Een vijftiger met dikke dijen die zich voor student uitgeeft ... Zo zouden zijn regimentskameraden de scène ongetwijfeld hebben bekeken, die soldaten die zingend de dood tegemoet gingen.

Hij stond op het punt om het theater te verlaten toen het geluid van het applaus luider werd (iemand had zojuist een deur op een kier gezet). Volski stelde zich rijen mensen in mooie rokkostuums en avondjurken voor, de kracht van de handen die dit applaus voortbrachten. De herinnering aan de voorstellingen tijdens de blokkade sneed als een mes door hem heen: een door een paar kaarsen verlichte zaal, de vreselijke kou en de menselijke schimmen die, omdat ze de kracht niet meer hadden om te applaudisseren, een buiging maakten om de toneelspelers te bedanken ... Hij bleef roerloos staan, met zijn ogen dicht, of eigenlijk met zijn ogen open, gericht op dat verleden waarvan hij nu de hartverscheurende schoonheid inzag.

Bij die beelden van vroeger schoot hem ook weer een vergeten locatie te binnen: dat onderkomen voor arbeiders waar hun gezelschap had overnacht om dicht bij de soldaten te zijn voor wie ze over 'de warme zon in het zuiden' zongen.

De weg die naar die voorstad voerde, deed je teruggaan in de tijd. In het stadscentrum waren al een heleboel verwoestingen hersteld. Maar hoe verder je je van de Neva verwijderde, hoe zichtbaarder de sporen van de oorlog nog waren. Hij zag zelfs een Duitse tank, met kapotte rupsbanden, waarvan de loop was gericht op de auto's die langsreden.

Het gebouw dat hun als onderkomen had gediend, leek opgefrist dankzij het wasgoed dat bij de ramen hing. De kamers waren, zo nam Volski aan, in bezit genomen door de toestroom van kolchozleden die hun verwoeste dorpen waren ontvlucht.

Hij keek uit naar iemand die hem informatie kon geven. Zonder veel hoop overigens: waarom zou Mila hier gebleven zijn, te midden van al die nieuwkomers? Op een bank zat een blonde vrouw, Volski wilde haar aanspreken, maar afgaand op haar houding leek ze te slapen, met de kin op de borst en de armen slap naast zich … Twee tienermeisjes waren op een stukje van de macadam aan het hinkelen. Op zijn vraag proestten ze het uit, wendden zich van hem af en brachten zoiets uit als: 'We weten niet waar ze is …' Van zijn stuk gebracht stelde hij een huisvrouw die lakens aan een lijn aan het ophangen was dezelfde vraag. Ze keek hem vijandig aan en riep: 'Kunnen jullie voor je zaakjes niet eens wachten tot het donker is! Een mooie boel, straks komen ze midden op de dag!' Het was zo'n onverwachte reactie dat Volski terugdeinsde zonder te proberen om meer te weten te komen. Een oude man die voor een voordeur zijn krant las bereidde hem ongeveer dezelfde ontvangst, maar vriendelijk: 'Ga liever naar een dancing, er zijn zo veel mooie meisjes om te kussen …'

In de war gebracht liep Volski eens om het gebouw heen, niet wetend of het ging om een misverstand over de naam of wantrouwen dat veroorzaakt werd door … Hij streek zijn haar glad, bedacht dat ze hem misschien voor een zigeuner hielden. Alles leek steeds raadselachtiger.

Hij stak de binnenplaats over en ging op de bank zitten waar de blonde vrouw al zat. Vaalblond, dacht hij, zo onverzorgd zag die haardos eruit. Hij aarzelde, kuchte, zei overdreven opgewekt 'goedenavond'. De vrouw dommelde en scheen zijn aanwezigheid niet op te merken. Waarschijnlijk lichtelijk dronken liet ze enkele keren een droef gekreun horen. Hij bleef besluiteloos naast haar zitten en dacht wat je op zulke momenten van onzeker wachten denkt: als ik straks net vertrokken ben, komt Mila.

Het leven in het gebouw verbaasde hem door de kazerneachtige gang van zaken. Een paar maanden na het einde van de oorlog: dat wasgoed tussen twee bomen, het sissen van olie in een pan, het huilen van een kind, een hortende tango op een bekraste grammofoonplaat. Een zondagavond alsof die straten met her en der lijken, die in zwart rafelig kantwerk veranderde steden er nooit waren geweest …

Uit het open raam op de benedenverdieping klonk een langgerekte geeuw van welbehagen. Volski voelde de doffe pijn die dit hernieuwde leven bij hem teweegbracht. De arrogantie van het geluk, de enorme onverschilligheid van de levenden. Deze wereld was hem net zo vreemd als de parterre vol gala-uniformen, de dag ervoor in de schouwburg. De wereld van de overwinnaars … Ja, de winnaar is degene die in staat is sneller en met grotere minachting te vergeten dan anderen.

De avond viel met de aangename zilverkleurige helderheid van de avonden in het noorden. De 'vaalblonde' vrouw had een andere houding aangenomen, haar hoofd was op een schouder gezakt en ze prevelde nu ritmisch stukjes van zinnen, zoals bij aftelrijmpjes. Een dik gezicht, rood geworden door de zon en de wijn, kleurloze haarlokken die voor haar ogen vielen, een vaag restje make-up. Hij voelde een zeker medelijden, bijna sympathie. Van zulke vrouwen had hij er een paar aan het front leren kennen, van droefgeestigheid doortrokken gevoelens van genegenheid te midden van slachtpartijen, onwaarachtige omhelzingen en tegelijkertijd heel onvervalst, want de minnaar had niets anders om mee te nemen als hij op weg ging naar de dood. Gevallen vrouwen ... Overblijfselen van de oorlog, dacht Volski, die 'vaalblonde' vrouw, en ook die Duitse tank met kapotte rupsbanden. En ikzelf, gaf hij toe.

Hij stond op, wilde tot ziens zeggen en opeens verstarde hij, spitste de oren. Wat de vrouw prevelde kwam hem bekend voor. Niet de woorden, maar de stem zelf of veeleer de kwaliteit van die stem. Dat gefluisterde geneurie klonk in haar dronkenschap eentonig, maar toch viel in haar stembuigingen de zuiverheid van de klanknuances op. Ze heeft een geschoolde stem, schoot door hem heen en reeds begon zich met een snelheid die hem de adem benam bij dat gedempte gezang een gezicht af te tekenen dat een droeve plaats in zijn herinnering had behouden.

De vrouw deed haar ogen half open. Door haar gelaatsuitdrukking wekte ze een afgestompte indruk, maar zoals bij een overtrektekening liet die even een heel ander gezicht doorschemeren, daarna verslapten de trekken weer van de slaperigheid en de lusteloosheid. De vrouw die Volski zich herinnerde was een overlevende met een sterk verzwakt lichaam, grote, diep in hun donker omrande kassen liggende ogen, een hoekige schedel onder een strakke huid ... De vrouw die weer begon te fluisteren had een gezwollen gezicht, het lichaam van mensen die na de hongersnood te veel aten. En toch kwam af en toe door een bepaalde lichtval het vroegere gezicht opeens tevoorschijn.

Hij pakte haar hand en zei met een opzettelijk vlakke stem: 'Ik ben het. Herken je me?' Ze trok haar hand terug, staarde hem met een wazige blik aan, deed met gespeelde boosheid alsof ze zich in haar waardigheid voelde aangetast: 'Ik laat me niet met "je" aanspreken! Ik ben niet zomaar de eerste de beste!' De stem klonk tegelijkertijd ordinair en weerloos. Hij voelde heel even een aarzeling: van deze norse terechtwijzing gebruikmaken en weggaan? Terugkeren naar de wereld van de overwinnaars ... Hij liep van de bank weg en zag het gezicht van de vrouw zijn kleur verliezen, verslappen. De gelaatstrekken die hij even gemeend had te herkennen, maakten plaats voor botte norsheid. Ze sloot haar ogen, liet haar kin diep op haar borst zakken.

Al een aantal stappen verwijderd, draaide hij zich om. In het licht van de avondschemering zag hij een vrouw helemaal alleen in een wereld die er uitsluitend voor haar leek te zijn. Geen enkel geluid, alsof de bewoners van het huizenblok vertrokken waren. Roerloze bomen. Een vrouw in een duisternis waarin alles in afwachting verkeerde. En waarin geen enkele gedachte verborgen kon blijven.

Hij keerde terug naar de bank, ging op zijn hurken zitten en neuriede heel zacht, alsof het een slaapliedje was: 'Aan

jou, mijn teerbeminde, zal ik mijn droom toevertrouwen …'
Zijn herinnering blies hem het vervolg van de woorden in.
Hij zong iets luider en was niet verbaasd toen de mond van
de vrouw hem antwoord gaf. Haar ogen waren gesloten, ze
glimlachte stilletjes, liet de andere vrouw die in haar ont-
waakte zingen. Volski hielp haar opstaan. Ze liep naast hem
mee, nog steeds verzonken in haar lethargie vol aangename
klanken.

Een paar uur van die heldere nacht waren voor Mila voldoende om te vertellen hoe het haar na hun laatste concert was vergaan. Als ze tijdens het vertellen gehuild had, haar verdriet had uitgeschreeuwd, zou het verhaal waarschijnlijk minder moeilijk zijn geweest om aan te horen. Maar ze verdween achter een kamerscherm en een minuut later zag Volski een vrouw die weinig leek op de 'vaalblonde' aangeschoten persoon van zopas. Haar met koud water bewerkte gezicht had verfijndere trekken gekregen, haar naar achteren gekamde haar gaf haar het uiterlijk van een vrouw die tegen een krachtige en ijskoude nachtelijke wind in liep. Hoog op haar voorhoofd was het spoor van een oud litteken zichtbaar. Aan een muur merkte hij een aantal tekeningen op, waarschijnlijk gemaakt door kinderen, en deze schets: een donkerharige vrouw, een heel mager gezicht, grote donkere ogen ... De vrouw die tegenover hem zat leek enigszins op die tekening.

Ze deden geen licht aan, stelden zich tevreden met het blauwachtige schijnsel dat door het raam naar binnen viel, het rood van het komfoortje onder een waterketel (allebei noemden ze het hete water gewoon 'thee', want dat was de 'thee' die ze tijdens de blokkade dronken: dat woord werd hun eerste teken van herkenning).

'De laatste keer dat we elkaar zagen was in december, ja, toen we een concert gaven ... En daarna is het nog erger geworden dan daarvoor ...'

Ze sprak kalm, zonder een zucht, zonder tranen. Nog erger dan daarvoor, herhaalde hij in zichzelf. Nee, erger was alleen de dood. En wij zijn blijven leven. Hij wilde het zeggen om te zorgen dat de stem van Mila wat minder gespannen zou worden, maar reeds doemde uit haar verhaal de zieltogende stad op die hij gekend had en hoe langer ze sprak, hoe meer tot hem doordrong dat hij nog niet alles wist, dat hij nog niet de grens kende die al aan gene zijde van het leven lag.

Toch bevatten de herinneringen van Mila voor hem niets nieuws: twee miljoen mensen die in een stad met een toverachtig mooie architectuur op de dood wachtten. Hij zag de jonge vrouw uit een ziekenhuis komen met een reep verband om haar voorhoofd, waarna ze begon aan een lange tocht door Leningrad om terug te keren naar de flat die ze een week eerder hadden verlaten. Hij deed moeite om zich haar honger voor te stellen, haar pogingen om het vuur weer aan te steken en zelfs, misschien, haar vertedering bij het zien van een sjaal van hem die aan de voordeur op een spijker hing.

Ook niets verbazingwekkends in het bestaan van de kinderen die bij Mila waren terechtgekomen tijdens de barre kou in januari. Eerst de tweeling van tien, een broertje en een zusje wier moeder net was gestorven. Daarna een nog jonger kind, misschien vijf, dat overdag koppig zweeg, maar in zijn slaap kreten van afschuw slaakte. Nog een ander met fel rood haar, bijgenaamd 'Mandarijntje', dat er, achtenhalf jaar oud, over opschepte dat het twee keer uit zijn weeshuis was ontsnapt. 'En nu is het weeshuis *geëvacueerd* en zijn ze mij vergeten …' Mila nam aan dat hij van de evacuatie gebruik had gemaakt om er andermaal vandoor te gaan. De levenslust van die Mandarijntje was verbijsterend, evenals zijn altijd goede humeur. Hij had de anderen geleerd om zon te eten. De uitgehongerde kinderen gingen op een rij voor het met een laagje ijs bedekte raam zitten, deden hun mond open en hapten in het licht dat op hun bleke gezichtjes viel, waarbij ze deden of ze kauwden en doorslikten ... Bij die ouderloze kinderen zat ook een tiener met een doorzichtige huid die zijn ogen altijd bijna gesloten had en met veel moeite sprak. Die indruk dat hij dodelijk vermoeid was, paste slecht bij zijn wilskrachtige voornaam Edward. Het viel Mila op dat hij, gewoonlijk stilletjes, heel gehaaid werd op het moment dat hun broodrantsoen werd verdeeld, waarbij hij er altijd op uit was iets meer te krijgen dan de anderen ... Bijna elke week werd de 'familie' met een kind uitgebreid. Eind januari plukte Mila twee meisjes van de straat van wie de oudste haar zusje droeg zoals een moeder haar baby draagt.

Kort daarna verhuisde hun clubje. Mila had besloten de kinderen te huisvesten in dat lege onderkomen voor arbeiders aan de rand van Leningrad. Het centrum van de stad werd veel intenser gebombardeerd, waardoor de buitenwijken ongemoeid bleven. In dat grote verlaten gebouw was het gemakkelijk om aan brandhout te komen. Maar het was vooral zo dat je bij de weg die langs het stadsdeel liep soldaten die naar het front gingen of ervan terugkeerden om brood kon vragen.

Zoals gold voor het leven van ieder in deze stervende stad, hing hun leven af van een paar graden extra kou, van een val op straat vlak voor het in ontvangst nemen van je snee brood, van een toename van vermoeidheid die het lichaam opeens knakte. En vooral van het toeval dat je vanuit een legerwagen een hapje voedsel kon worden toegeworpen, of niet. Ja, een kleinigheid was voldoende om haar 'familie', die al zestien kinderen telde, in haar voortbestaan te bedreigen.

Het werd niet één kleinigheid maar een aaneenschakeling van gebeurtenissen die, allemaal bij elkaar, die bewuste dag voor het definitieve einde zorgden. Toen Mila uit de stad terugkeerde, gleed ze uit en verstuikte haar enkel. De volgende dag kon ze geen brood gaan vragen langs de kant van de weg. Na een week dooi woedde er 's nachts een sneeuwstorm die de paden die het onderkomen met de rest van het stadsdeel verbonden bedekte met een laag sneeuw van een meter. Een aantal kinderen stond niet meer op en alleen Mandarijntje bleef levendig en goedlachs. Hij hielp bij het aansteken van de kachel en riep tegen de anderen: 'Vooruit, kom eens in beweging, luiwammesen! Dan zal ik jullie laten zien hoe je vuur kunt eten …' Aangespoord door zijn energie sleepten sommigen zich naar de kachel en deden hem na, hapten met open mond in de warmte die de vlammen afgaven.

Die is niet kapot te krijgen, dacht Mila terwijl ze het roodharige hoofd van Mandarijntje volgde, die nu eens in de hal opdook, dan weer in hun 'slaapzaal' die ze rond de kachel hadden ingericht.

En toch trof ze juist hem op een avond aan terwijl hij met een strakke blik en een ijskoud lichaam in de gang lag. Hij haalde hortend adem en nadat ze hem bij het vuur had gelegd, lukte het hem te fluisteren: 'In mijn borst zitten klokken die luiden …' De dag ervoor waren de laatste kruimels brood verorberd.

Ze verliet het huis en na een uur ploeteren door de sneeuw bereikte ze de weg. Voor het eerst had ze de kracht niet om te blijven staan, ze liet zich naast een paal neervallen, wachtte, voelde haar handen niet meer in haar wanten en haar ijskoude voeten niet meer in haar vilten laarzen. Een vrachtwagen verscheen, ze haastte zich ernaartoe, versperde hem de weg, vastbesloten om alles wat eetbaar was los te krijgen van degenen die hij van het front terugvoerde. De chauffeur sprong van de treeplank, kwam dwars door de stormwind dichterbij, wilde de schim die hem tegenhield klappen geven. 'Zestien kinderen, al twee dagen niets te eten ...' stamelde ze. De soldaat antwoordde met een stem die door de wind werd afgesneden: 'Tweeënvijftig lijken in de vrachtwagen. We vergaan zelf van de honger. Ik kan je tabak geven, anders heb ik niet ...'

's Ochtends wist ze uit de stad een paar sneeën brood mee naar huis te brengen. Ze warmde water, wilde er de stukken brood in gooien om een pap te maken waarvan iedereen iets zou krijgen ... Terwijl ze de kommen klaarzette, was het brood opeens verdwenen. Het kind dat het aan het opeten was (Edward) kroop niet eens weg, richtte op haar de blik van een dier dat zich bewust is van zijn vergrijp. Ze gaf hem een draai om zijn oren, schold hem uit met woorden die ze nog nooit in het bijzijn van kinderen uitgesproken had en huilde. Daarna verstarde ze, machteloos starend naar dat jonge gezicht dat was vertrokken van angst en alleen maar uitdrukte dat het wilde overleven. Nog druk aan het kauwen, snotterde hij: 'Ik had heel erge honger ... Mijn oom werkt bij de controleafdeling van de Partij ...' Deze woorden braken haar weerstand, zo absurd klonk deze verwijzing naar het machtsapparaat, nagepraat door een jongen van elf, aan een tafel waarop alleen nog maar een paar broodkruimels lagen. Ze wist dat hij loog. Met een hooggeplaatste oom zou hij niet hier gezeten hebben, tussen deze kinderen in nood. Waarschijnlijk had hij de woorden opgevangen tijdens een gesprek, gemerkt hoeveel gewicht eraan werd gehecht en herhaalde hij ze als een papegaai in de hoop op een voordeeltje ... Andere kinderen, die op de geur van het brood waren afgekomen, waren in afwachting van de maaltijd bezig de kruimels op te pikken.

's Avonds schaarden degenen die konden opstaan zich om het vuur om daarvan te 'eten' zoals Mandarijntje hun had geleerd. Zelf lag hij in elkaar gedoken in een hoek en ademde met korte kuchjes, alsof hij iets wilde zeggen zonder dat het lukte. Ze ging naast hem zitten, zette de wollen muts goed die van zijn hoofd was gegleden. Hij opende zijn ogen, keek, eerst met een onvaste blik, vervolgens herkende hij haar en probeerde te glimlachen. 'Maak je niet ongerust, Mandarijntje, morgen ga ik naar de stad, dan breng ik brood voor je mee en misschien ook meel ...' Ze onderbrak zichzelf want hij kneep zijn ogen samen op de manier van iemand die de ander wil weerhouden van een vrome leugen. Deze mimiek hoorde bij een volwassene en hij sprak ook met een heel volwassen stem toen hij fluisterde: 'Tante Mila, vannacht ga ik dood. Geef mijn brood maar aan de andere kinderen ...' De tegenstelling tussen dat kleine lichaam en die ernstige stem deed haar huiveren. Ze berispte het kind, schudde het door elkaar: 'Maar wat vertel je me daar! Morgen maak ik echte soep voor jullie ...' Ze zweeg want ze zag dat hij zijn ogen had gesloten om haar zulke nutteloze bemoedigende woorden te besparen …

Een half uur later stond ze op haar uitkijkpost in de bocht van de weg die naar het front voerde.

De hemel was donker maar helder, schoongeveegd door de krachtige noordenwind. De bevroren weg kraakte onder je voeten alsof je over glasscherven liep. Ze wist dat een hongerlijder bij een dergelijke kou niet lang meer zou leven. Ze kwam op het idee om door te lopen naar het legerkamp en daar brood te stelen. Het idee van een krankzinnige. Of de wereld was gek, want daar was dat kind dat zo-even kalm had gezegd: 'Vannacht ga ik dood …' Ze voelde zich tot alles bereid om van die wereld een kleinigheid aan voedsel los te krijgen. Het instinct van een wolvin die zich laat doodschieten om haar jongen te redden. Ze achtte zich zelfs in staat de frontlijn over te steken om aan de Duitsers brood te gaan vragen. In haar geest stelde ze het zich als een ruil voor: ze brengt de kinderen eten en keert vervolgens terug naar de vijandelijke soldaten om zich te laten slaan, verkrachten, vermoorden, dat alles met het vreugdevolle idee dat haar lichaam, haar leven volstrekt onbelangrijk zijn …

Na zo'n twintig minuten lopen bleef ze staan nadat ze een aantal keren gestruikeld was. Was ze gevallen, dan zou ze niet in staat zijn geweest weer op te staan en de kou maakte haar bewegingen al stijf. Zonder haar waren de kinderen ten dode opgeschreven. Ze moest terug. De sterrenhemel was schitterend, onheilspellend. Ze bleef een paar seconden naar die pracht in het donker staren en bij gebrek aan een gebed, sprak ze deze wens uit: brood voor de kinderen en het geeft niet welk lijden voor mij.

Op het moment dat ze de deur van het onderkomen openduwde, werd ze verblind door de koplampen van een jeep. Een officier wenkte haar, maar voor ze zijn brede schouders en de ondanks de kou losgeknoopte jas opmerkte, werd ze, en het bedwelmde haar bijna, de geur van eten gewaar die uit zijn mond kwam, en ook een sterke alcoholgeur. 'Heb je een glas water voor me, schatje? Ik sta van binnen in brand!' Hij boog zich naar haar toe en de adem van een man die zojuist goed had gegeten, bracht haar bijna buiten zinnen. Ze nam hem mee naar de keuken, bood hem water aan, sprak over de kinderen. 'O, maar dat kan geregeld worden, ik heb worst en brood in de auto. Ik ben de belangrijkste man van de stad: ik lever aan het Smolny.' Hij liet zich nog een glas water inschenken, zuchtte voldaan en gaf een opsomming van de levensmiddelen die hij de stadsbestuurders bezorgde.

Mila luisterde nauwelijks naar hem, ze zag de grote pan al op het vuur staan met plakjes worst in een met meel gebonden soep en hoorde het vrolijke lawaai al van lepels.

'Misschien kan ik ook wat meel krijgen', fluisterde ze, bedwelmd door de geur van vlees die de man om zich heen verspreidde.

'Welja, schatje, jij kunt alles krijgen, omdat je zulke mooie ogen hebt!' Hij greep haar bij een arm en trok haar naar zich toe. 'Ik heb hier zestien kinderen, een aantal is ziek ...' probeerde ze uit te leggen terwijl ze zich losmaakte.

'Maar wat nou, vertrouw je me soms niet, mij, een stafofficier!' Hij wilde boos worden, vervolgens veranderde hij, al in de greep van de begeerte, van tactiek. 'Wacht, je zult het met je eigen ogen zien.'

Hij liep naar de auto en kwam terug met een linnen zak. Met het gebaar van een koopman deed hij hem voor Mila

open: twee grote conservenblikken, een pak fijne tarwe-
bloem, een dik rond brood ...

'Zie je nou, ik zei het je al, wie lief voor me is ...' Hij
sloeg zijn armen om haar heen, hijgde haar in het gezicht
met woorden die naar eten en sterkedrank roken. Nauwelijks hoorbaar gestamel deed haar van binnen trillen terwijl
de man haar naar een brits duwde: 'Een kind zei me dat het
vannacht dood zou gaan, u zou u moeten schamen ...'

Nee, je moest niets willen uitleggen, je hoefde alleen maar
je eigen bestaan weten uit te vlakken, de walging te onderdrukken die die naar verzadiging stinkende mond bij haar
opriep, die hand niet te voelen die ruw haar lichaam betast-
te ... Het lukte haar zichzelf niet meer te zijn tot de laatste
zucht van genot van degene die haar nam. Tot zijn vertrek,
dat hij vergezeld liet gaan van spottend gelach en beloften.

Dat gevoel van niet-bestaan hield nog aan terwijl ze de
maaltijd bereidde. De kinderen snelden toe, aten zwijgend,
gingen weer slapen. In de zak die de militair had achtergelaten trof ze een fles sterkedrank aan, ze zette hem aan haar
mond en pas toen ze dronken was, stond ze zichzelf toe te
huilen.

Twee dagen later verscheen Mandarijntje opeens bij het
vuur, goedlachs als voorheen. Nee, niet als voorheen. Van
nu af gingen zijn lachende ogen schuil achter de sluier van
de dood.

Op een avond keerde de militair terug. En alles herhaalde
zich: levensmiddelen in ruil voor een kwartier niet-bestaan.
En na afloop de sterkedrank die het geschil tussen schaamte
en opofferingsgezindheid snel besliste.

Het kwam tot andere bezoeken, andere mannen en altijd

werd er op die uiterst eenvoudige manier geruild: het overleven van de kinderen, zeker gesteld door het korte genoegen van een onbekende. Tijdens de maartstormen en de dooiperioden had ze toch al niet naar haar uitkijkpost gekund of de stad kunnen bereiken, waar steeds minder levenden overbleven.

Ze wist niet op welk moment ze uit haar eigen leven was verdreven. Misschien die dag in mei toen ze in een spiegel keek en zichzelf niet herkende. Of anders tijdens de volgende winter: de behoefte aan sterkedrank werd onweerstaanbaar, ook als er geen sprake was van nachtelijk bezoek.

Hoe dan ook, toen de vrede weerkeerde was zij al die andere vrouw ('een vrouw die een slecht leven leidde', zeiden de buren) die in een kamer in het onderkomen woonde terwijl het gebouw door nieuwkomers in bezit werd genomen. Haar kinderen waren in weeshuizen geplaatst, ze was alleen achtergebleven, opgesloten in een verleden waarin alles aan de blokkade herinnerde, verdoofd door de sterkedrank die haar ongevoelig maakte voor de grofheid van de mannen die naar haar toe kwamen.

Op een avond (het hele woonblok vierde de overwinning op Duitsland) zat ze bij haar raam en in haar door dronkenschap vertroebelde herinneringen klonken opeens de woorden weer die afkomstig waren uit een leven dat kapot was gemaakt: 'Aan jou, mijn teerbeminde, zal ik mijn droom toevertrouwen ...' Ze snikte zo heftig dat zelfs het kabaal van het gezelschap aan tafel stilviel. Een vrouw riep boos: 'Moet je toch eens horen! Iedereen zingt van vreugde en die slet denkt alleen maar aan grienen ...'

Op dat moment werd ze waarschijnlijk zoals de mensen haar in het vervolg zagen. Korte tijd later blondeerde ze haar donkere haar en kwam zelfs tot de geruststellende gedachte: als ik nu sterf, ben ik voor niemand meer herkenbaar. Ze besefte dat ze heel bang was de man terug te zien die zong: 'Aan jou, mijn teerbeminde ...'

Een nachtvlinder vloog naar de vlam van het komfoor, Volski zwaaide met zijn hand om hem te verjagen – te redden – en die beweging maakte een eind aan hun roerloosheid, die de woorden van Mila met zich mee hadden gebracht.

'Zo zag mijn leven eruit', zei ze met een vlakke stem. 'Ik hoopte dat je me niet terug zou vinden ... Er zijn nu zo veel vrouwen alleen. De soldaten die terugkeren hebben maar voor het kiezen ...'

'Zoals je ziet, heb ik je wel teruggevonden.'

Ze leek het niet gehoord te hebben.

'Soms droomde ik zelfs dat je gesneuveld was en dat ik te weten zou komen waar je graf lag en dat ik ernaartoe zou gaan en dat je dan niet zou hoeven zien wat voor vrouw ik geworden ben ...'

Hij glimlachte onwillekeurig.

'Het spijt me, maar ik ben niet omgekomen ... Wat jou betreft, zo veel ben je niet veranderd ...'

'Je hoeft heus niet te liegen, George. Je weet best wat ik ben geworden. Een hoer.'

Hij haalde diep adem, wilde ertegenin gaan, maar deed niet meer dan hortend zuchten. En omdat hij vreesde dat er opnieuw een stilte zou vallen, begon hij meteen heel snel met een door wanhoop ingegeven koortsachtigheid te praten: 'Goed, akkoord, een hoer. Maar in dat geval ben ik een moordenaar! Ja, ik heb vaak mensen gedood. Dat was mijn werk in de oorlog. Die rode ster, snap je, die hebben ze me opgespeld om me ervoor te bedanken dat ik enorme aantallen Duitsers heb vermoord. Ik heb vier jaar doorgebracht met mensen doden, ik probeerde er zo veel mogelijk af te maken en als ik voor de loopgraven stond die ik zojuist hevig had beschoten, zag ik een brij van bloed … Ik was heus niet voor dat werk in de wieg gelegd. Ik hield van zingen, zoals je weet. En toch brulde ik vier jaar lang bevelen tegen soldaten om ze sneller te laten schieten en ze meer te laten doden. En toen … kon ik er een keer niet toe komen een Duitse tanksoldaat af te maken. Ik had het kunnen doen, ik was gewapend, hij niet. Ik schoot niet. Want …'

Met een schelle uithaal stokte zijn stem. En als reactie op die kreet klonk opeens een woedend getrommel op hun deur en barstte een vrouwelijk tweetal met een stortvloed van scheldwoorden en een hoop gekrijs los: 'Is dat gedonder bij jullie nou afgelopen of ik roep de politie! Die lellebel laat ze nu 's ochtends om twee uur komen …!' De hatelijkheid van de aanval bracht hen nader tot elkaar, het adderachtig gesis gaf hun het duwtje om op te staan als was het een ver-dedigende beweging, hun lichamen gingen naar elkaar toe, hun armen kwamen tot zoiets als een omhelzing.

'Want ik zag in', fluisterde hij bijna opgewekt, 'dat ik als ik op die jonge Duitser had geschoten, echt een moordenaar zou zijn geworden. En voor jou geldt hetzelfde. Is het zelfs nog duidelijker …'

Hij zweeg uit angst deze duidelijkheid, die opeens geen woorden meer nodig had, teniet te doen. Nee, het was geen medelijden dat hem ervan had weerhouden te schieten. Op dat moment bezag hij de wereld (en die Duitser, en zichzelf en de hele aarde) gewoonweg met een blik die oneindig veel ruimer was dan vanuit zijn eigen gezichtshoek. Dezelfde blik als die van de vrouw die haar lichaam ruilde voor brood.

'Ik wilde het bed voor je opmaken, maar ...' fluisterde Mila en ze glimlachte alsof dat voornemen er inmiddels niet meer toe deed.

Opnieuw begrepen ze zonder verdere uitleg dat ze hier weg moesten. Weg voor de mensen in huis wakker werden en er een leven werd hervat waarvan zij voorgoed uitgesloten waren.

Hun voorbereidingen duurden maar kort. Mila scheen zelf verbaasd over het weinige dat ze bezat. Een paar kleren, drie borden met stukken eruit en een waterketel. En die stukjes papier die ze van de muur rond de kachel haalde: de tekeningen van de kinderen.

Ze vertrokken, staken de binnenplaats over, bijna als in een droom. Wolken aan de hemel, een wind die verdwaalde tussen zachtjes ritselende bladeren. In het gras lag een babykledingstukje, aan een touw wapperden hemden en lakens. Mila raapte het babykledingstukje op en hing het met een wasknijper aan de lijn ... Ze draaiden zich om. Achter de donkere ramen huisde een merkwaardige onschuld: de slaap van die mensen, zo overtuigd van hun principes, zo goedhartig, zo hard. En die niet wisten welke betekenis deze verblijfplaats had voor het stel dat vertrok.

De route ging langs de bekende punten: de bocht waar Mila op de vrachtwagens wachtte, daarna de plek waar hun koor zijn laatste concert had gegeven ... Ze liepen langs de rivier. De hemel boven het stromende water werd helderder. Hier en daar moesten ze om bomkraters heen lopen. Sommige van die kraters stonden vol water en waren dichtgegroeid met riet waaruit vogels opvlogen.

Op het moment dat ze langs een ingestorte brug kwamen, ging Mila langzamer lopen en stelde ze een pauze voor. En toen zagen ze op de helling boven het dal, op enige afstand van door brand verwoeste daken, een huis dat ongeschonden was. Een verlaten sparrenhouten hutje waarvan de voordeur wijd openstond. Tussen een houten schutting en de stenen rand van een put stond een populier van minstens twaalf meter hoog. Het bleke paars van de ochtend wekte de bedrieglijke schijn dat de muren doorzichtig waren en dat het huis zachtjes deinde, als een bootje op het golvende hoge gras.

IV

De mensen vonden het heel gewoon dat het stel zo woonde en leefde. Een oud sparrenhouten hutje zonder elektriciteit, te midden van puinhopen? De helft van het land leefde na de oorlog immers op die manier. Gehuld in steeds dezelfde versleten kleren? Maar elegantie was zeldzaam in het Rusland van die jaren. Hun werk had evenmin iets ongewoons: Mila gaf muziekles op de school in het naburige dorp, Volski vond een baan als postbode. Men wende spoedig aan hun onopvallende aanwezigheid. Ze zagen de vrouw 's morgens vroeg de schooldeur openduwen, ze zagen de man op de fiets langskomen met zijn grote tas vol goed of slecht nieuws. Ze spraken met hen, ze gaven beleefd antwoord op hun vragen, maar namen hen niet in vertrouwen. Trouwens, wie nam iemand wel in vertrouwen, in een tijd dat een onvoorzichtig woord iemand die loslippig was duur kon komen te staan?

Al met al was het enige waardoor ze hadden kunnen opvallen de kleur van hun haar: binnen een paar maanden werd het donkere haar van de man wit en kreeg de vrouw haar donkere krullen terug. Maar deze bijzonderheid wekte nauwelijks verbazing. De steden waren vol invaliden, vol mensen met misvormde gezichten … Een alledaags stel, ja.

Vreemder leek de plek waar ze waren gaan wonen. Het dal en de bossen op de hellingen verborgen mijnenvelden die soms op triplex bordjes stonden aangegeven, soms niet. En de grond lag vol stoffelijke overschotten van soldaten.

Een van de eerste dagen nadat ze hun intrek in het hutje hadden genomen, kwamen ze opnieuw langs de plek van hun laatste concert. Volski liep naar de rivier en opeens hoorde hij onder zijn voet even het gerammel van metaal. Hij bukte zich, tastte rond tussen de grassprieten. En haalde een met aarde besmeurde en groenachtig uitgeslagen cimbaal tevoorschijn. Mila gaf een tik tegen de doffe schijf. Het trillende metaal bleef lang nagalmen ... Het was een warme dag die een zomerse loomheid teweegbracht, je hoefde nergens aan te denken en niets had haast. Ze keken elkaar aan, hun blik werd beheerst door dezelfde herinneringen: het einde van een winternacht, een uitgestrekte ijsvlakte waarop soldaten in de aanval gaan. En dat gezang dat de dood tart. En die cimbaal die valt en door de sneeuw rolt in de richting van de rivier ...

Hun werkelijke leven zou een verborgen reis worden in omgekeerde richting van de tijd die de mensen beleefden.

Toen ze op een avond weer een keer in Leningrad waren, liepen ze de trap op in het huizenblok waar Volski voor de oorlog had gewoond. Op het bovenste portaal viel door het raam een paars licht naar binnen, in de opstijgende hete lucht fonkelde een ster ... Op de binnenplaats verdrongen kinderen zich om een bal. Achter de voordeur van een gemeenschappelijke flat betwistten twee huisvrouwen elkaar het gebruik van het fornuis. Een zondags gekleed stel kwam de trap af en besprak een lachfilm die sinds kort in de bioscoop te zien was. Het leven ... Volski en Mila keken elkaar aan. Ja, het leven dat zij al achter de rug hadden.

Ze dachten geregeld opnieuw aan de vrijheid niet te leven zoals de andere mensen. Een volgende keer dat ze weer in de stad waren bleven ze staan onder de ramen van het conservatorium waar ze hadden gestudeerd. Een vrolijk rumoer van klanken en flarden van gezang deed een stortvloed van herinneringen bij hen bovenkomen. 'Net een … ontregelde speeldoos', zei Mila en ze glimlachten. De studenten die de trap af kwamen leken precies op de poppetjes die het piepkleine draaiende podium tevoorschijn bracht. Opnieuw voelden Volski en Mila zich verlost van een leven dat ze misschien wel per ongeluk hadden meegemaakt.

Nog een speeldoos, die opera die ze op een avond gingen beluisteren. De als soldaten verklede spelers zongen over heldendaden, heldendom, het moederland. Het vernuft waarmee de oorlog ten tonele werd gevoerd sloeg Volski met stomheid. Over wat hun was overkomen geen woord, terwijl daar tegen een groots bordpapieren decor met vlammen op de achtergrond stemmen in vlotte bewoordingen fraaie aria's zongen die de verdediging van Leningrad verheerlijkten. In de grandioze slotscène verscheen plotseling een zanger die een partijleider speelde. 'De sta-a-ad van Lenin zal no-o-o-oit vallen!' zong hij. Het was een lange en zwaarlijvige man die een uniform droeg dat strak om zijn buikje spande. De dijen van de vorst in *Rigoletto*, herinnerde Volski zich.

Na de voorstelling namen ze een tram die hen naar de uitvalswegen in het zuiden van de stad bracht. Van daar was de weg hun bekend. Twee uur lopen over wegen vol bomkraters, daarna langs de verlaten hoge oever van de Loekhta. In het donker hoorde je aan de waterkant het gras ritselen. In

178

volmaakte harmonie prevelde Volski de eenvoudige woorden die hij aan het front had gezongen toen hij in een colonne soldaten liep. Hun huis verscheen, blauwachtig afstekend tegen de donkere maar heldere hemel: klein, schuin tegen een helling, onder een reusachtige, smalle en hoge populier.

Mila zal wel spoedig genoeg krijgen van onze bouwval, dacht hij. Ze zal ten slotte jaloers worden op de mensen in de schouwburg die op hun gemak naar huis terugkeerden, in plaats van door de velden te moeten, zoals wij …

Ze bleef staan, wees naar hun huis. 'Kijk, het lijkt net of er iemand op ons wacht.' Eén ruit glansde goudgeel in het maanlicht, een discreet en aangenaam schijnsel, als een lamp die je richt om je in het donker de weg te wijzen.

De maanden daarna kwamen ze nog maar één keer in de stad: toen Mila 'haar' kinderen wilde terugzien. Die dag sneeuwde het voor het eerst.

In een roes gebracht door de dwarrelende sneeuwvlokken, leken de gestalten achter het hek van het weeshuis te dansen. Mila herkende gezichten, fluisterde voornamen … Iets apart van zijn vrienden stond een jongen van een jaar of twaalf. Met zijn hoofd achterover en zijn ogen half gesloten liet hij de wervelende witte vlokken op zijn gezicht neerkomen. Opeens bevangen door duizeligheid wankelde hij en zijn *tsjapka* viel van zijn hoofd, zodat heel kortgeknipt, vuurrood haar zichtbaar werd. Hij raapte de muts op en zag toen hij eenmaal weer rechtop stond dat tweetal aan de andere kant van het hek staan … Mila draaide zich om en liep met gebogen hoofd weg, Volski volgde haar. Na een poos gezwegen te hebben, opperde hij met onzekere stem: 'En als we hem eens mee naar huis namen? En de anderen ook ...'

Ze spraken er niet weer over, maar vanaf dat moment leek hun huis er in spanning op te wachten.

Het opruimen van de mijnen was begonnen in augustus en duurde een hele maand. De geniesoldaten wekten de indruk rond het sparrenhouten hutje een groot spinnenweb onschadelijk te maken. Het was verbazingwekkend te zien hoeveel tonnen dood de beide legers in de grond hadden weten te stoppen. Elk pad lag er vol mee. Elke open plek in het bos was een val voor wie er onvoorzichtig liep ...

Toen ze vertrokken nam een van de geniesoldaten hen mee naar het hoogste punt van de oever en wees hun een groot stuk oneffen terrein. 'Daar liggen geen mijnen,' zei hij, 'daar liggen graven. Maar dat is óns werk niet ...'

Ja, graven, inderhaast gedolven vlak na de strijd. Heuveltjes, her en der in de plooien van het terrein. Af en toe stond er een paaltje bij met een bordje dat een naam vermeldde, het enige wat van een mensenleven sprak, maar de meeste heuveltjes zwegen. Dichter bij het hoogste punt van de oever trof men beenderen aan die waren bedekt met modder en verdord gras.

Aanvankelijk gingen ze bij wat ze deden zo'n beetje in het wilde weg te werk: een pistool dat ze uit een vervallen loopgraaf opdiepten, een zakboekje dat zo door vocht was aangetast dat ze niet konden lezen wat er op de bladzijden stond ... Ze hadden geen enkel vooropgezet plan, lieten gezien de omstandigheden elk plechtig gedoe achterwege. Dag na dag probeerden ze doodeenvoudig niet meer dan ervoor te zorgen dat de mensen die ze tijdens hun laatste concert door kogels hadden zien vallen niet voorgoed vergeten zouden worden.

Eén keer maar vroegen ze zich af wat ze met een stoffelijk overschot aan moesten. Want er lagen ook overblijfselen van Duitse soldaten. Helmen, flarden van uniformen, botten, schedels … De haat was nog bitter, levend gehouden door de herinneringen aan Leningrad toen dat nog in de wurggreep zat, aan de met de grond gelijk gemaakte steden waar Volski doorheen was gekomen, vanwege het enorme verlies aan mensenlevens dat Rusland had geleden. Alle kinderen die door zijn toedoen zijn gestorven, hield Mila zichzelf voor terwijl ze met de scherpe kant van haar spa op een schedel stuitte. Haten leek even vanzelfsprekend als ademhalen. Maar de lucht die ze inademden rook pittig naar vergeelde bladeren, was koud als rijp waarvan de kristallen in de zon de kleuren van de regenboog te zien gaven. Op de grond verhieven zich door de kou bevroren bloemen te midden van de beenderen. En van de bleke, heldere hemel ging op aangename wijze een genezende werking uit.

'Waar moeten we dat allemaal laten?' mopperde Volski binnensmonds. 'In een ravijn gooien en vergeten?'

Mila schudde even met haar hoofd. 'Ik weet het niet … Ze hielden ons voor wilden. Ongedierte dat moest worden uitgeroeid. Maar ik vind dat we ze moeten begraven zoals we met onze eigen mensen doen. Met de naam erbij, als dat kan. Dat zal bewijzen dat ze zich in ons hebben vergist …'

En zo deden ze, ze maakten de rijen heuveltjes langer en naast elk graf plantten ze een jonge boom die Volski uit het bos haalde. Aan het begin van de herfst vernamen ze dat er in Leningrad zojuist een museum ter herinnering aan de blokkade was geopend. Daar brachten ze alles naartoe wat ze bij hun begraafwerk hadden gevonden: wapens, documenten, onderscheidingen. En ook die brief, die bewaard was gebleven omdat hij in het zilverpapier van een plak chocola was verpakt. Liefdevolle woorden, geschreven door een Duitse soldaat ...

In het voorjaar leek het kerkhof al op een kreupelbos met de frisse aanblik van jong gebladerte.

In de bouwvallen in het dorp trof Volski een heleboel bruikbaar hout aan. Rondhout, planken, balken, genoeg om hun hutje uit te breiden. Twee grote kamers erbij, was zijn plan, met het idee kinderen erin onder te brengen. Deze verblijfplaats zou, zo dachten ze, in de toekomst enig licht in hun leven brengen.

In afwachting daarvan leek hun leven nog het meest op een heel waterige aquarel, onzichtbaar voor anderen. Ze gaven de wereld wat die van hen vroeg en de rest van de tijd zorgden ze ervoor dat ze niet opvielen. Je zag Mila uit school komen met de mouwen van haar jurk wit van het krijt. Je kon Volski als postbode op de veldwegen door de karrensporen zien fietsen met zijn brieventas op zijn rug.

En die oktoberdag zag je ze in Leningrad langs een stationsperron hollen van waar een voorstadtrein vertrok, de enige die eindelijk reed. Ze misten hem net, bleven hijgend staan, zagen achter de raampjes die voorbijschoten allerlei gelaatsuitdrukkingen: spot, onverschilligheid, medelijden. Niemand kon echter vermoeden wat er op dat moment omging in het tweetal dat nu op zijn schreden terugkeerde, de stad door liep, die te voet verliet en een welbekende weg insloeg.

Niemand wist dat ze de laatste overblijfselen waren komen brengen die de grond waar de graven lagen had teruggegeven. In het museum ter herinnering aan de blokkade hadden ze een grote rust over zich voelen komen, vermengd met bitterheid. De zalen die nu alleen nog maar leken op de ruimtes in een opslagplaats, bevatten een ordeloze massa tragische brokstukken van het verleden, van de jaren waarover het zo moeilijk was te spreken. Foto's, persoonlijke voorwerpen, brieven, schriften waarin kinderen die stierven van de kou gras, zomerse wolken hadden getekend ... En het aantekeningenboekje van dat ene kind dat daarin de sterfdag van ieder van zijn naaste familieleden had genoteerd.

In het midden van één ruimte stond schuin opgesteld een vliegtuig van de Luftwaffe dat boven Leningrad was neergehaald.

De rust die ze voelden kwam van de stukjes waarheid die ze van de vergetelheid hadden gered. Maar ook van de goudgele bladeren die de modderige weg bedekten. Ze liepen, blij dat ze de trein hadden gemist en nu voortgingen in een licht motregentje dat rook naar koel onderhout. Ja, hun vreugde werd hun ingegeven door deze gedachte: ondanks het geweldige lijden dat in de zalen van het museum opeengepakt lag, was er deze nevelige dag, met zijn gedempte licht en die op parels lijkende druppeltjes op de wimpers van de vrouw en de glimlach van de man, een kortstondige glimlach die niet meer verward mocht worden met de grijns die een overblijfsel was van zijn verwonding.

Niemand kon vermoeden dat het leven in hen bleef bruisen dankzij de kortstondige maar voortdurende terugkeer van zulke ogenblikken.

Deze eenvoudige schoonheid had geen behoefte aan de poppenkast die na het einde van de oorlog weer begon. Parades, optochten, toespraken ter ere van de Leidsman die het volk naar de overwinning had gevoerd. En het verlangen van die mensen om zichzelf de beste plaats toe te bedelen bij dat feest van de overwinnaars.

Zij bleven ver verwijderd van die drukte. Dankzij hun afzondering, dankzij hun liefde. Dankzij de trage klanken die ze hoorden op een dag in december, in het besneeuwde bos waar ze takken raapten. Boven de toppen van de dennen gierde de wind, maar beneden, op hun takkenbos gezeten, werden ze slechts dit geritsel gewaar: vanuit de toppen van de bomen vielen hoopjes sneeuw naar beneden die van tak naar tak neerdalend de tijd kregen om iets te fluisteren wat op een korte reeks woorden leek. Ze zwegen, verbaasd over het feit hoe eenvoudig geluk kon zijn, het was bijna niets, ja niets omdat het ongrijpbaar was en toch heel volledig. Een hoopje sneeuw viel via de takken steeds verder naar beneden, liet een kort gefluister horen en kwam op de grond terecht. Het leek net of het stille bos de aanwezigheid voelde van de vrouw die, met gesloten ogen, haar gezicht ophield naar de traag neerdwarrelende sneeuwvlokken ... Mensen hadden deze grond opengereten om loopgraven aan te leggen, dacht Volski, hadden enorme aantallen mijnen verstopt en waren vervolgens begonnen elkaar te vermoorden, slachtpartijen die vier lange jaren hadden geduurd, en toen dat afgelopen was, groeven de overlevenden de mijnen op en vertrokken. En het bos werd weer wat het voor de slachting was geweest. En nu sluit de vrouw van wie ik hou haar ogen, zij luistert naar de wind, sneeuwvlokken komen op haar gezicht neer. En dat gezicht lijkt op het gezicht van een donkerharige vrouw, heel mager, getekend door een kind ...

Die avond in december probeerden ze voor het eerst de grote kachel uit die Volski tussen de twee nieuwe kamers van

hun huis had geplaatst. De takken vatten met opgewekte fel-
heid vlam en ze stelden zich Mila's kinderen voor die in een
kring zaten en hun handen naar het vuur uitstaken.

Toen de sneeuw smolt, kwam het water tot aan het trapje
van hun huis en ze moesten lachen toen Volski, zonder de
treden af te dalen, een stuk visnet dat hij op zolder had gevonden in de trage stroom gooide. De lucht rook naar de
vochtige schors van de elzen, naar de lauwe houten wanden die de zon had verwarmd. Op het trapje zittend keken
ze hoe de hemel zoals die door de rivier werd weerspiegeld
langzaam bleker werd en af en toe zagen ze de drijvers boven
het visnet op en neer gaan. In de verte, aan de overkant van
het water, tekende zich de andere oever af en de dunne omtrekken van de bomen die voortaan over de graven waakten.
 Eén blik en alles was er. De hoge oever waarop ze zo
veel mannen hadden zien sterven. En de rivier, nu traag en
breed als een meer en waarvan het ijs destijds strepen te zien
gaf van het bloed van een gewonde die naar de zangers toe
kroop. En hun stemmen, met daardoorheen geschreeuw en
explosies. Dat verleden was nog heel dicht bij dat houten
trapje waarop nu een vrouw zat die takjes gooide in het door
de zonsondergang goudgekleurde water …
 Waar was het allemaal goed voor? vroeg Volski zich af en
in gedachten zag hij de mannen weer voor zich die druk in
de weer waren rond een kanon. Daar, op dezelfde hoge oever. Mannen die doodden of zelf gedood werden. Waar was
het goed voor?
 De verdediging van het land, de overwinning …, de woorden maakten in hem luidkeels hun harde juistheid kenbaar.

Al dat sterven was nodig. En dikwijls was het een heldhaftig sterven. Ja, nuttig, maar alleen omdat mensen dit geluk niet kennen, dacht hij en hij voelde zich opnieuw dicht bij een waarheid die voor alle mensen en alle levens gold. Het geluk te zien hoe takjes werden meegevoerd door de door een lage zon verlichte stroom. Te zien hoe de vrouw opstond en het huis in liep. Het geluk haar gezicht in een raamopening boven het water te zien. Haar glimlach, de weerspiegeling van haar jurk in een ruit.

Dat geluk maakte het verlangen van mensen om te heersen, te doden, dingen te bezitten tot iets volstrekt lachwekkends, dacht Volski. Want Mila en hijzelf bezaten niets. Hun vreugde bestond uit dingen die je niet kon bezitten, uit wat anderen hadden overgelaten of hadden versmaad. Maar vooral, die zonsondergang, die geur van warme schors, die wolken boven de jonge bomen op het kerkhof, dat was van iedereen!

Het visnet dat hij weer op het trapje trok, kwam leeg uit het water. Tussen de mazen die over het water gleden blonk af en toe het doffe goudgeel van de maan.

Niemand om hen heen had oog voor die zo mooi geworden wereld. Hun buren vervloekten de ongebruikelijk hoge waterstand van de Loekhta, de doorweekte landwegen. Mila en Volski stemden met hen in om hen niet tegen de haren in te strijken, maar als ze thuiskwamen gingen ze op het oude trapje zitten en lieten hun blik over het spiegelende water van de rivier dwalen. 's Nachts ruiste het water onder hun ramen, golfjes botsten zacht tegen de treden. Die rust en die vreugde zouden uitgesproken moeten worden om mensen te helpen anders te leren leven. Maar met welke woorden kon het gezegd worden?

Niets uitleggen, dacht Volski op een dag, alleen maar dat andere leven laten zien … Hij keerde terug uit Leningrad en aan de rand van de stad was hij ongewild getuige van een oefening voor een optocht. Beladen met een reusachtig portret van Stalin moest een stoet arbeiders, zo wilde de regie, zich bij een colonne militairen voegen en zorgen dat boven dit overwinningsleger opeens het hoofd van de Leidsman zou verschijnen. Een orkest moest op dat moment luid met zijn koperen instrumenten inzetten. Het samenvloeien had nog niet de gewenste artistieke volmaaktheid bereikt.

Vanaf een hoge houten stellage klonk woedend geschreeuw. Daarop stond een mannetje met een slappe hoed die riep: 'Ik zie kameraad Stalin niet!' (en de arbeiders hesen het portret zo hoog mogelijk op) of: 'Meer levenslust!' De militairen staken hun kin vooruit en sperden hun ogen wijd open …

Volski vervolgde zijn fietstocht door de velden. Het geblaf uit de luidspreker was niet langer hoorbaar, het werd overstemd door het gerammel van de oude fiets. Wat hij zojuist had gezien was grappig, hij had erom kunnen lachen, maar zijn gedachten bleven droevig gestemd. In de optocht zou men ongetwijfeld arbeiders aangetroffen hebben die de verschrikkingen van de blokkade hadden meegemaakt. Veel van de soldaten gingen zwaar gebukt onder de herinnering aan gewonde lichamen, gesneuvelde kameraden. Dat verdriet had hen naar een nieuwe en lichtende waarheid moeten voeren. In plaats daarvan liepen ze dat rondje, met gezichten die dom genoeg straalden …

Hij reed naar de school waar Mila lesgaf, hield halt onder de ramen van het muzieklokaal, luisterde. En herkende in het kinderkoor het gezang dat de kameraden van zijn regiment tussen twee gevechten door aanhieven. Hij had die melodietjes vaak geneuried, met zijn stem soepel van hoog naar laag en terug, en hij moest weer denken aan de vermoeidheid van de soldaten en aan de zwakke hoop die ondanks de modder en het bloed bleef bestaan. Mila leerde haar leerlingen dus dit soort liedjes, die afweken van het schoolrepertoire, dat bestond uit opgewekt vaderlandslievend gebrul.

Het was een moment waarop de volle betekenis van zijn nieuwe leven tot hem doordrong: de tere stemmetjes die tot een droom leken te behoren, een dag die luister werd bijgezet door het verschijnen van het allereerste gebladerte, de geur van bos dat onder water stond en vlakbij, ontrukt aan de dood, de aanwezigheid van de vrouw van wie hij hield. De golvende beweging van de arm die het gezang van de kinderen leidde …

Hij moest weer aan de oorlog denken, die hun de wijsheid had geschonken zich met eenvoudig geluk tevreden te stellen. En raakte in de war, omdat hij er geen vrede mee had dat de prijs voor die wijsheid zo afschuwelijk hoog was geweest. Mila kwam naar buiten en gaf hem een kus. Hij wilde haar vragen: 'Waarom konden we voor de oorlog niet net zo gelukkig zijn? Vanaf onze eerste ontmoeting, met de onbezorgdheid van de jeugd?' Maar de blik van Mila verwachtte andere woorden.

'Het is zover, ik heb hem!' zei hij en hij zag het spoortje angst op het gezicht van de vrouw verdwijnen. Uit zijn brieventas haalde hij een getypt vel papier waarop een aantal handtekeningen en stempels stond. Het was de toestemming die de stedelijke autoriteiten hadden gegeven om de weeskinderen te adopteren, 'Mila's kinderen' zoals Volski ze noemde. De eerste vier zouden komen als in september het nieuwe schooljaar begon.

Op een avond in mei leek hij het geheim van hun nieuwe vreugde te doorgronden … Het was aangenaam in de avondschemering, ze hadden geen zin om naar huis te gaan, ze bleven te midden van de bomen liggen, naast een bron die ze een week daarvoor hadden vrijgemaakt van struikgewas. De grond zag wit van de bloesemblaadjes van de wilde kersenboom, het leek net alsof je je in een sneeuwstorm bevond. De geur van de witte trossen en het frisse en prikkelende van de lelietjes-van-dalen … Dat heb ik al eens eerder gezien, dacht Volski. Ja, tijdens de oorlog, na een gevecht, die op sneeuw lijkende bloesemblaadjes en die soldaat die met zijn arm zwaait als om een mug te verjagen en valt, het was geen mug maar een verdwaalde granaatscherf, een door een explosie weggeslingerd stukje metaal. Het bedwelmende van die bloemblaadjes, de koele geur van de lelietjes-van-dalen, op een mooie avond in het voorjaar en die jonge en knappe man die zojuist was gestorven ...

Volski staarde naar de vrouw die, met de ogen half gesloten, door de traag neerdwarrelende bloemblaadjes heen, glimlachte. Een merkwaardig wezen: een vrouw die men op deze wereld een heleboel keren had geprobeerd te doden, een lichaam dat kortgeleden nog verzwakt was door honger, een gezicht dat de vorm van de schedel niet meer kon verhullen, een vrouw die was verkracht, waardoor ze geleidelijk in een menselijk stuk vuil veranderde. Die ogen hadden volop dood, ijs, lelijkheid aanschouwd en nu zien ze de zachtpaarse hemel en tussen de talloze vallende bloemblaadjes heel dichtbij een ster die ons ook ziet ...

Wat hij opeens inzag was als een dóórbreken van licht. Nee, je moet geen verklaringen zoeken, dacht hij, je hoeft alleen maar te erkennen dat de ander die verbazingwekkende persoon is die eindeloos ver uitstijgt boven wat hij beleefd heeft en wat hij nu beleeft, én boven wat je van hem ziet, én boven wat de wereld met hem doet. Oog krijgen voor dat onzichtbare deel van een vrouw en ervan houden, zoals ook geldt voor dit moment waarop er traag bloemblaadjes vallen, voor dat gewonde lichaam waarin de liefde onaangetast is gebleven, voor die ogen waarvan de helderheid me kracht geeft.

Die meidagen eindigde voor hen de oorlog. Een jaar na het einde van de oorlog.

Heel veel later, toen hij nog eens terugdacht aan dat jaar dat ze aan de oever van de Loekhta woonden, zou Volski zich verbazen over de duur van wat eigenlijk pas het begin van een verblijf was. Elk jaargetijde kwam hem voor als een heel leven. Een herfstleven, het uit rijp bestaande borduursel op de goudgele dorre bladeren. Een winterleven, die petroleumlamp voor hun raam, een ver lichtpunt in een sneeuwstorm. Een lenteleven, die nachten dat het water tot bij het oude houten trapje kwam ... En ook de zomer, wanneer hun huis deinde op de blauwachtige golven van kruiden en bloemen. Hij herinnerde het zich als een heel traag verlopende eeuwigheid, heel innig, en waarin één enkele dag in staat was alle wonden van zijn kapotte leven te helen.

Ze dachten hetzelfde en wierpen elkaar een geamuseerde blik toe: ja, dat witte veulen, de wat onhandige bevalligheid van een kind, de vrijheid van iemand die de obstakels van het leven nog niet kent ... Het holde over de hoge oever, liep het water in, week met een plotselinge luchtsprong terug en rende de helling weer op.

Volski was bezig het dak te repareren, Mila stond op een ladder en reikte hem met teer ingesmeerde latten aan. Af en toe stopten ze even, blij van bovenaf zo veel bedrijvigheid tegelijkertijd te zien. De sprongen van het veulen en in de rivier kinderen die aan het zwemmen waren, iets verderop, voorbij de wilgenbosjes, vrouwen die hooi tot mijten opstapelden en dat heel kleine meisje dat al spelend die onstabiele hopen beklom en probeerde zich als een evenwichtskunstenaar staande te houden.

Opeens viel ze en meteen klonk er een explosie. Achter de bomen rees een gordijn van losse aarde en rook op. Het veulen holde nog een paar meter voor het neerstortte, zijn hele rechterzij was weggeslagen. Een mijn die de geniesoldaten de voorafgaande herfst over het hoofd hadden gezien ...

Volski en Mila begrepen het meteen, de feiten regen zich in een snelle opeenvolging aaneen: de draf van het veulen, de val van het kleine meisje, uit haar evenwicht gebracht door het lawaai van de ontploffing, de boerinnen die waren verstard, ten slotte dat wit en rood door elkaar dat even in het stof spartelde.

Het leven van de anderen dat ze meenden op afstand te

houden was opeens alom aanwezig, in een samengaan van overblijfselen van de oorlog, het alweer gewend zijn aan vrede en de tranen van het meisje dat met afgewend hoofd naar het dode veulen toe ging. En de kinderen die opeens van alle kanten tevoorschijn kwamen en met verschrikte gezichten hun nieuwsgierigheid verborgen. Even later kwam een kolchozlid met een kruiwagen aanzetten, hakte het karkas met een paar bijlslagen in stukken, laadde het vlees in de kruiwagen en begroef de rest in het gat dat de ontploffing had geslagen.

Ze zetten de gedachte van zich af dat deze dood een voorteken kon zijn. Ze slaagden erin om hun wereld, die kwetsbare eeuwigheid een eindje verwijderd van de rest van de wereld, nog een poosje te laten voortbestaan. Maar op een dag, aan het eind van augustus, was daar opeens die merkwaardige verkenner. Ze waren op het hoogste punt van de oever bezig om een omheining rond de soldatengraven te bouwen. Mila schreef de naam van iemand die ze hadden weten te identificeren op een van de bordjes die ze aan de paaltjes hadden bevestigd …

Zij merkte de eigenaardige verspieder als eerste op. Op de oever aan de overkant stond, niet ver van hun huis, een zwarte auto en een militair richtte een grote verrekijker op het kerkhof waar zij aan het werk waren. Zijn vreemde statische houding, zijn cape die te lang was voor het motregentje dat de horizon versluierde, alles in dit stille tafereel leek buitenmaats en dreigend. Je zou veeleer gedacht hebben aan een generaal die een slagveld overzag. Er verscheen nog een militair en het standbeeld met verrekijker kwam in beweging, schudde het hoofd en allebei liepen ze naar het huis. Het werd al donker, maar vanaf het hoogste punt van de oever kon je duidelijk zien dat de beide mannen naar de ramen toegingen en naar binnen keken ...

Voor Volski en Mila in hun bootje hadden kunnen stappen om de Loekhta over te steken, waren de militairen alweer vertrokken. De enige sporen waren een peuk met een smal goudkleurig bandje en de afdruk van een laars op het stukje grond voor het huis. 'Het waren waarschijnlijk topografen voor locatieonderzoek,' zei Volski gespeeld geruststellend, 'ze moeten zeker een kaart maken ...'

Het bezoek van de militairen was heimelijk een opluchting voor hem. Alsof hij niet de moed had om wakker te worden uit zijn droom en om Mila wakker te maken, had deze verschijning hem geholpen. Daar was de wereld, al bij de aanvang van hun liefde.

Hij had gejokt toen hij het had over 'militairen', hun uniform liet geen ruimte voor twijfel. Mila had het wel door: 'Het is merkwaardig, die twee mannen van de staatsveiligheidsdienst, ze doen me denken aan wat me onlangs op school is overkomen. Ja, die inspectrice ... De directeur had me al laten weten dat ze zou komen, dus het gebeurde zeker niet onverwacht. Afgezien van het feit dat ze bleef staan als een standbeeld. Net als die man die ons met een verrekijker bespiedde. Ze vertrok weer zonder een woord te zeggen. Het schijnt dat de liedjes die ik de kinderen leer ideologisch niet correct zijn ...'

Ze stonden op het trapje van hun sparrenhouten hutje. Nu het water was gezakt, leek hun huis hoger boven de velden uit te steken en meer apart te staan. Volski luisterde en aarzelde welk antwoord hij zou geven: hij moest of proberen geruststellend te klinken, en dan zou hij liegen, of ... Hij boog het hoofd en opeens merkte hij tussen de graspollen nog een peuk met een goudkleurig bandje op. Als een doordringende blik, strak op hen gericht.

'Weet je, Mila, dat heb ik je niet verteld, maar de post die ik rondbreng ...' Hij onderbrak zichzelf, zich ervan bewust dat zijn stem klonk als die van een schuldige, toch was er geen enkel vergrijp dat hij had kunnen bekennen. 'Ja, ik zie steeds meer brieven die uit gevangenissen komen. Ik denk dat ze weer begonnen zijn, de zuiveringen ...'

Ze wisselden weinig woorden, gebruikten de allusieve taal waarvan iedereen zich in die tijd bediende. Je zei niet 'die man is gearresteerd', maar 'hij is in de problemen geraakt'. Het was trouwens onmogelijk dat Mila het had gehad over 'die mannen van de staatsveiligheidsdienst', die uitdrukking kwam pas later, toen erover gesproken kon worden, herinnerde Volski zich. Nee, in die tijd had ze het waarschijnlijk over 'de Grote Firma', zo duidde men het kantoor van de geheime politie in Leningrad aan.

In een paar woorden vertelden ze elkaar min of meer in geheimtaal alles: de arrestatiegolven, opnieuw en steeds vaker, de angst die, na een korte periode van ontspanning aan het eind van de oorlog, de gezichten weer deed verstrakken, de verdenking die elk woord kon oproepen. De overwinning op de nazi's had de vervolgers van hier vrij spel gegeven, waarbij ze de bevolking snel wilden laten boeten voor hun eigen lafheid.

Met twee, drie bijzonderheden per verdwenen persoon herinnerden Volski en Mila zich de mensen die 'in de pro-

196

blemen waren geraakt': bewoners van het naburige dorpje, oude vrienden in Leningrad. Al een lange reeks schimmen. Ze wisten dat mensen verschillende tactieken kozen om te overleven. Sommigen deden of ze niets merkten, ze praatten, gingen naar hun werk, glimlachten tegen hun familie en goede vrienden, dat alles in een onwillekeurige sluimer, alsof ze slaapwandelden. Anderen vormden hun leven om tot een wachten als van een veroordeelde, ze herhaalden voor zichzelf de argumenten die, naar ze dachten, hun onschuld zouden aantonen, sliepen met hun kleren aan, wetend dat de arrestaties 's nachts plaatsvonden. Sommigen raakten hun verstand kwijt. Weer anderen probeerden afstand te nemen van de dreiging door er de spot mee te drijven.

'Zoals mijn vader deed.' Volski realiseerde zich dat hij er voor het eerst over sprak. 'Als tijdens de collectivisatie in ons dorp bij een boer een zak tarwe werd aangetroffen die was weggestopt, werd de man doodgeschoten. Daarna gebeurde dat al als je een stuk gereedschap of een dozijn eieren niet aangaf. Ik was nog een kind, maar ik kan me die bewuste dag nog heel goed herinneren. Het was winter, het vroor dat het kraakte, mijn vader was zonder jas de deur uit gegaan, liep blootsvoets door de sneeuw en bracht de Onteigeningscommissie het enige paar laarzen dat hij nog had. Het lukte hem een heel ernstig, bijna geestdriftig gezicht te trekken: "Ik geef alles voor de opbouw van het socialisme!" De leiders voelden zich vreselijk in verwarring gebracht door zo veel enthousiasme. Uiteindelijk dachten ze dat hij niet helemaal goed bij zijn hoofd was, ze gaven hem zijn laarzen terug en lieten ons verder met rust ... Waanzin, dat kon je leven redden.'

'Mijn vader werd gered door de dood.'

Mila prevelde het als een echo van de woorden van Volski en toen ze zijn stomverbaasde gezicht zag, legde ze gauw uit: 'Hij was in '39 officier in Mongolië, hij nam deel aan de slag bij Halhin Gol. Toen hij een keer sprak met degene van wie hij dacht dat het zijn beste vriend was, zei hij met galgenhumor: "Er zitten meer militairen in de kampen dan in onze gelederen", ja, zo'n soort grapje. De commandant riep hem bij zich om hem mee te delen dat hij zich op het ergste diende voor te bereiden. De volgende dag werd hij tijdens de aanval tegen de Japanners als eerste gedood. Eigenlijk heeft hij zich laten doden. Een van zijn kameraden vertelde ons hoe hij stierf. Degenen die hem gevangen moesten nemen, keerden onverrichter zake terug: in plaats van een volksvijand op te pakken, stonden ze voor een op het veld van eer gevallen officier, bijna een held. Daarna hebben ze ons, mijn moeder en mij, verder ook met rust gelaten.'

Alles was gezegd. Deze beide verhalen, zo wisten ze, vatten samen in wat voor een land ze leefden. Zijn angsten, zijn oorlogen, het weerloos blootliggende privéleven, de onmogelijkheid om zijn wanhoop met iemand te delen. De reusachtige moeilijkheid om in de goedheid van de mens te geloven en tegelijkertijd het besef dat alleen dit geloof nog redding kon brengen. Een land waar miljoenen mensen 's nachts wakker worden en de oren spitsen als ze het gieren van banden op het asfalt horen: rijdt de auto door of stopt hij voor de deur?

'Je hebt het nog nooit met me over je vader gehad ...' zei Volski op enigszins verwijtende toon.

'Daar hadden we de tijd niet voor ... Bovendien, als we

daarover waren gaan nadenken, was ons de lust om verder te leven wel vergaan.'

Volski wilde ertegen ingaan, zeggen dat het nodig was de waarheid onder ogen te zien, maar hij bedacht zich, bespeurde in de woorden van Mila een waarheid die tegelijkertijd simpeler was en bijna ongehoord in haar eerlijkheid. Ze glimlachte: 'We zouden zelfs niet in de schouwburg hebben kunnen spelen, weet je nog: "Aan jou, mijn teerbeminde, zal ik mijn dromen toevertrouwen …" Het is een beetje dankzij die liedjes dat we hebben overleefd. En weet ik hoeveel mensen met ons!'

Dertig jaar later bedacht Volski dat zijn land ook dit was: twee mensen die de hel hadden meegemaakt en wier leven spoedig daarna werd gevangen in de lenzen van een verrekijker, zoals een schutter iemand in het vizier neemt, ja, die twee geliefden die in het bleke licht van een augustusavond op het trapje van een sparrenhouten hutje zaten, ze keken naar het hoogste punt van een oever met een aantal graven op een rij en neurieden heel zacht luchtige melodietjes uit een oude operette die ooit in de mode was.

Sindsdien spraken ze vaak over de voorstellingen die ze tijdens de blokkade hadden gegeven, het publiek dat in het donker zat te rillen, Porthos die met een betraand gezicht stond te zingen, spelers die uitgeput door kou en honger op het toneel neervielen. Uit die oorlogsdagen putten ze hun kracht, hun moed en als ze in gedachten hun laatste concert weer voor zich zagen, toen het kogels regende, kwamen al hun angsten hun lachwekkend voor: die twee agenten van de veiligheidsdienst die hen kwamen bespieden? Eén minuut van dat concert joeg meer vrees aan dan welke dreiging ook.

Denken aan de kinderen die ze gingen huisvesten droeg er eveneens toe bij dat ze niet onder vernederende angst gebukt gingen. Een bed in elkaar timmeren, uit een oud laken een hemd knippen, de routine van deze bezigheden verbond hen met een toekomst waarin jonge levens bezit van deze voorwerpen zouden nemen, waardoor ze hun nut zouden krijgen, met leven bezield zouden worden. En als ze er weer aan dachten uit welke afgrond van verdriet deze kinderen tot hen kwamen, stelden de twee agenten met verrekijker voor hen niet meer voor dan komedianten.

Op een avond zetten ze een groot kamerscherm neer dat de slaapzaal in tweeën moest verdelen. Het ritselen van de stof deed hun denken aan een opgaan van het doek en in de blik die ze wisselden sprong het idee als een vonk over: ze zouden de kinderen leren toneelspelen, ja, ze zouden ze stukken laten opvoeren en waarom niet in een operette laten zingen!

Ze boden de angst tot het uiterste het hoofd. En toen het Volski een keer gebeurde dat hij tussen de graven op het kerkhof weer een peuk met een goudkleurig bandje aantrof, vertrapte hij minachtend dat teken van dreiging en riep lachend uit: 'De Duitsers rookten ook zulke mooie saffies ...'

Ze lagen 's nachts dus niet wakker, zoals veel andere mensen die bang afwachtten of ze het piepen van banden voor de deur van hun huis zouden horen. Het gevaar waar ze zich voor hoedden, diende zich plotseling op klaarlichte dag aan en ging gepaard met luid gevloek, druk gebarende handen, komisch vertrokken gezichten. Dit had niets te maken met de stille en geniepige angst die geleidelijk bij alle mensen binnensloop.

Die septemberdag ging Mila naar Leningrad om een notitieboekje naar het museum ter herinnering aan de blokkade te brengen dat ze op een zanderig stuk van de hoge oever had gevonden: notities in het Duits. Toen ze de binnenplaats van het gebouw op liep, dacht ze iets van brand te zien, daarna een chaotische bende, ten slotte een handgemeen te midden van de vlammen. Allemaal tegelijk. Voor de deur van de loods die als tentoonstellingszaal dienstdeed, brandde een groot vuur. Militairen (van die 'militairen' van de staatsveiligheidsdienst) waren druk bezig medewerksters van het museum terug te duwen die in de vlammen leken te willen springen. Er klonk een enkele schreeuw, en dat er nauwelijks gesproken werd, maakte het tafereel nog beangstigender. Nee, die vrouwen wilden zich niet van het leven beroven, ze staken hun handen in het vuur om er voorwerpen uit te halen die ze probeerden te redden. Terwijl agenten van de veiligheidsdienst op hetzelfde moment kleine dingen die ze zojuist in de zaal bij elkaar hadden gegrist in de vlammenzee gooiden: pakjes brieven, kledingstukken, foto's ... Het was een felle strijd. Vrouwen op leeftijd vochten tegen een muur van vuisten en geweerkolven, vielen, stonden weer op en snelden naar het vuur.

... Deze dag was niet de bloedigste van het regime dat zich in het land had gevestigd. Deze dag was de schandelijkste. En toen tientallen jaren later de archieven met betrekking tot de slachtpartijen en de repressie opengingen, durfde men deze brandstapel nog steeds niet ter sprake te brengen ...

Mila had niet in de gaten dat ze zich opeens zelf midden in het strijdgewoel bevond. Ze voelde de vlammen pijnlijk aan haar handen likken, haar lippen bloedden, aan haar jurk hing een mouw die half was losgescheurd. De brute uithalen van de mannenvuisten wierpen haar terug, ze kromde zich, baande zich een weg, greep een boek, een foto, probeerde de spullen te beschermen, te verbergen. De koortsachtigheid van deze reddingsoperatie ging samen met een onbekende vreugde: nog nooit was men in het land in verzet gekomen tegen die hecht aaneengesloten donkere uniformen en nu deze allereerste opstand, die nota bene in gang werd gezet door vrouwen wier lichamen waren verzwakt door jarenlange oorlog, vrouwen die het, met de ingevallen gezichten van hongerlijders, overleefd hadden.

Opeens klonk hysterisch geschreeuw bij de uitgang van de tentoonstellingszaal. Omringd door zijn gevolg verscheen een dikke, kleine man. Mila herkende hem algauw dankzij de officiële portretten in de kranten: Malenkov, behorend tot de directe omgeving van de Leidsman. De mannen in uniform sprongen in de houding, onderbraken hun vernietigingswerk.

'Aha, separatisten die zich verstopt hebben!' schreeuwde hij. 'Reactionaire krachten die hier voor zichzelf een nest hebben gebouwd! Ze hebben de mythe verzonnen van een Leningrad dat helemaal in z'n eentje heeft gestreden, zonder leiding van de Partij! Ze zijn de beslissende rol van de grote Stalin, vader van onze overwinning, vergeten! Iedereen naar buiten! Al die oude troep in het vuur! En snel, dit is een bevel!'

De mannen in uniform kwamen weer in beweging en deze keer geholpen door de handlangers van Malenkov pakten ze de medewerksters bij hun lurven en gooiden ze in een legerwagen die op straat stond te wachten. Mila wist zich nog van een bundel brieven meester te maken en ging ervandoor onder dekking van een dikke rookwolk die werd opgejaagd door vlammen die al nieuwe stapels documenten verteerden.

Ze keerde te voet naar huis terug en had nog de tijd om Volski alles te vertellen. Ook om nog te zeggen wat mensen die van elkaar hielden in die tijd tegen elkaar zeiden: 'Als me iets overkomt, beloof me dan dat je je eigen leven zult leiden, zonder om te kijken naar het verleden ...' Terwijl ze met de kinderen (de eerste vier die twee weken daarvoor bij hen waren ingetrokken) hun avondmaaltijd gebruikten, lieten ze niets merken. Even hoopten ze zelfs dat de arrestatie 's nachts zou plaatsvinden of 's ochtends als de kinderen op school zouden zijn ...

Ze kwamen haar een uur later halen: een zwarte auto van hetzelfde model, bijgenaamd 'raafje', dezelfde uniformen. Volski liep als eerste naar buiten en hij werd ruw tegen de motorkap geduwd. Een tweede auto kwam aanrijden, de agenten die eruit stapten rukten Mila het koffertje dat ze wilde meenemen uit handen. 'Kijk wat erin zit, het is heel belangrijk!' schreeuwde ze en terwijl de twee nieuwsgierig geworden agenten de paar kledingstukken en de toiletspullen doorzochten, snelde ze naar Volski, ze kusten elkaar en konden, ondanks de armen die hen al uit elkaar haalden, nog een paar woorden fluisteren: 'Kijk elke dag in ieder geval even naar de hemel, dan doe ik hetzelfde ...' Ze werden ieder in een auto gegooid. Volski wist al niet meer wie, hij of Mila, had voorgesteld naar de hemel te kijken waar ook de ander naar zou kijken. Hij proefde alleen maar de weeë smaak van bloed in zijn mond, de lippen van Mila bloedden nog steeds.

De auto's reden met onzinnige haast weg over het aarden pad dat om het huis heen liep. Gedurende een paar seconden zagen Mila en Volski een jongen die met zijn armen zwaaiend achter de zwarte stoet aan rende en schreeuwde alsof hij hen wilde inhalen. In het bleke avondlicht glansde zijn rode haar als een tros lijsterbessen.

Het moeilijkste moment na de arrestatie was het verhoor. De onderzoeksofficier was jong, maar hij wist dat hij moest slaan, hoe de gevangene zich ook gedroeg. Alleen beheerste hij de foltertechnieken nog niet. Hij mepte onhandig en te hard. Volski, met zijn handen op zijn rug gebonden, viel en drukte zijn hoofd tegen een schouder om zijn gezicht te verbergen. De slagen hielden om onverklaarbare redenen op. Hij draaide zich om naar de officier en kon een 'o' van verbazing niet onderdrukken. De man stond rechtop, met zijn hoofd achterover, en kneep zijn neusgaten dicht, zijn vingers zaten onder het bloed. 'Doe het raam open en pak wat ijs ...' stelde Volski met een opzettelijk vlakke stem voor. De officier slaakte met een neusstem iets van een vloek maar gehoorzaamde vreemd genoeg. De verhoorkamer lag in de kelder, een met dikke spijlen beschermd kelderraam keek uit op de stoep die met verse sneeuw was bedekt. De officier deed het open, raapte een handvol vlokken op en drukte die tegen zijn neus. Het bloeden werd minder, ze keken elkaar aan en Volski voelde dat dit het moment was dat het menselijk gevoel heen en weer wordt getrokken tussen medelijden en minachting. Gedurende zijn kampjaren zou hij dat een aantal keren meemaken.

Het gezicht van de officier gaf een snel spel van gelaatsuitdrukkingen te zien: harder gaan slaan om de getuige van dit komische voorval te straffen? Verdergaan met vragen stellen alsof er niets aan de hand was? Of ... De uitdrukking in de ogen van de gevangene verbaasde hem: een volkomen ontspannen blik, helder, bijna glimlachend. De officier zag dat de tegen de grond geslagen man naar het smalle streepje blauw staarde dat hij door het kelderraam net van de hemel kon zien terwijl hij daar op de vloer lag.

Hij hielp Volski om op de kruk te gaan zitten, stelde zijn vraag, waarop hij slechts ontkennende reacties had gekregen, opnieuw.

'Ik vraag u nogmaals: geeft u toe dat u van plan was het Duitse vliegtuig te besturen dat in het zogenaamde museum ter herinnering aan de blokkade staat tentoongesteld en het Smolny te bombarderen om de belangrijkste bestuurders van de stad te doden?'

Als Volski niet vroeger al had horen spreken over dat soort dwaze beschuldigingen, zou hij gedacht hebben dat hij gek aan het worden was. Maar deze gerechtelijke waanzin was geen geheim meer, mensen hadden het erover, tegelijkertijd angstig en bijna lacherig omdat het zo buitensporig absurd was: die en die was doodgeschoten omdat hij had geprobeerd het water van alle grote rivieren in het land te vergiftigen, een ander zou alles in het werk hebben gesteld om een tiental subversieve organisaties in het leven te roepen in een dorp van honderd inwoners ... Hij wilde dus een vliegtuig laten vliegen dat vol met gaten van granaatscherven zat en waarvan het landingsgestel was afgebroken!

Hij zweeg. Hij had weinig keus. Ontkennen en opnieuw klappen krijgen? Bekennen en je doodvonnis tekenen?

Opeens ging de stem van de onderzoeksofficier over in gefluister: 'Zeg dat u het Smolny wilde bombarderen om de niet partijgezinde separatisten in het stadsbestuur uit de weg te ruimen.' En Volski zag hem deze mallotige verklaring al op papier zetten. De jonge officier was duidelijk bezig een misdadiger te verzinnen, maar een misdadiger die werd bezield door het lovenswaardige streven te strijden tegen de vijanden van de Partij en van zijn Leidsman. Als hij zijn hoofd iets boog kon Volski door het kelderraam wat sneeuw zien en in een ruit de weerschijn van de hemel.

In het kamp vond hij elke dag wel een vrij moment om midden in die hemel de blik van Mila te ontmoeten.

Het leven als gevangene maakte hem niet kapot. Aan het front was het vaak gebeurd dat hij zomaar op de grond moest slapen, in de modder of in de sneeuw. Hier kon je de britsen in de barakken die van een kachel waren voorzien bijna gerieflijk noemen. Het omhakken van bomen was zwaar werk, maar zijn armen hadden de vaardigheid behouden die nodig was om zware granaten te hanteren. Mensen gingen dood van de honger en als gevolg van scheurbuik en toch, vergeleken met de honderdvijfentwintig gram brood tijdens de blokkade maakte het armzaligste voedsel een overvloedige indruk. Wat de duur van zijn straf betreft, vierenhalf jaar kamp, dat was een lachertje: tien jaar dwangarbeid was hier het bescheiden gemiddelde. Gezegend zij de bloedneus van die officier, dacht Volski.

En op de momenten dat de wanhoop het grootst was, was er de hemel, grauw, helder of nachtelijk donker, en de band geschapen door de kracht van niet meer dan een blik, voorbij de wereld van de mensen.

De mildheid van zijn straf deed hem hopen dat de veroordeling van Mila nog lichter was. Waar kon zij van worden beschuldigd? Dat ze een met aarde besmeurd notitieboekje naar het museum had gebracht? Volski maakte zichzelf wijs dat ze vrijgesproken, vrij was, met de kinderen in hun oude sparrenhouten hutje zat: 's avonds, bij het flonkeren van de eerste sterren, ging ze naar buiten en keek omhoog naar de hemel ... Vervolgens vervaagde die hoop, hij herinnerde zich dat de repressie al heel lang van elke logica gespeend was. Hij die nog nooit in de cockpit van een vliegtuig had gezeten zou van plan zijn geweest Leningrad te bombarderen. Mogelijk had men Mila nog dwazere boze bedoelingen in de schoenen geschoven. Misschien was ze naar een kamp gestuurd dat op duizenden kilometers afstand lag van het zijne!

Deze veronderstelling werd een gruwelijke kwelling. En toch waagde hij het af en toe iets vast te stellen waarvan hij-zelf de stellige en aangename zekerheid vreesde: niets was in staat het moment te bederven dat hun blikken zich omhoog richtten om elkaar te ontmoeten. Dan stelde hij zich Mila voor midden op een witte akker, met het gezicht opgeheven naar de traag neerdwarrelende sneeuw.

Dat beeld hielp hem om ervoor te zorgen dat zijn leven niet door haatgevoelens werd beheerst, wat een goede manier was om in het kamp te overleven. Dat besefte hij toen hij op een voorjaarsdag werd bedolven door een stapel boomstammen: een reusachtige piramide stammen van gekapte ceders die de gevangenen gereedmaakten voor het vlotten. Ze kwamen te vroeg los en heftiger dan gewoonlijk. De stapel stammen kwam in beweging door de schokken van de ijsschotsen die ertegenaan botsten nadat ze op deze grote Siberische rivier waren losgebroken. En opeens was de berg rondhout aan het rollen gegaan en uiteengevallen. Het hout verdween in de gaten tussen de stukken pakijs, kwam in het stromende water terecht, verhief zich tot het rechtop stond, viel weer plat, vormde muren die instortten ... Een aantal gevangenen werd door de verschuivende houtmassa gegrepen en verpletterd. Een stuk of drie verdwenen in de stroom. Eén kon er gered worden, hij had een verbrijzelde schouder.

Volski kwam op de grond vast te zitten, helemaal beneden aan de oever, vlak bij de dreigende, voorbijdrijvende en in stukken brekende ijsschotsen. Met een ingedrukte borstkas en benen die in de warboel van stammen klem zaten, kon hij niet roepen en zich niet bewegen. Toen hij weer bij bewustzijn kwam, was het donker geworden en begreep hij dat er van het zoeken, als dat al was gebeurd, niet veel werk was gemaakt. Het leven van een gevangene was niets waard en niemand wilde het zijne verliezen door zich in die wirwar van rondhout te wagen die elk moment kon verzakken om de rivier in te schuiven. Waarschijnlijk dachten ze dat hij verdronken was.

Het enige wat hij nog kon uitbrengen was een sissend gefluister en het enige wat hij nog kon bewegen waren zijn handen die in het donker zijn houten graf verkenden. Dwars door de over elkaar heen liggende stammen kon hij een driehoekje van de sterrenhemel zien.

De pijn bereikte een grens waarvan hij dacht dat het de drempel naar de dood was, vervolgens nam ze af, of liever, wende hij eraan om op die grens te zitten. De dorst werd spoedig ondraaglijker dan de pijn en hield slechts op hem te kwellen gedurende de momenten dat hij zijn blik door de stammen heen op de hemel richtte. Dan werd zijn denken helder en omdat hij niemand meer hoefde te overtuigen, ook zichzelf niet, viel er aan de eenvoud van wat hij begreep niets meer toe te voegen.

Hij begreep dat van alles wat hij had meegemaakt het enige onvervalste die hemel was waar twee mensen die van elkaar hielden dezelfde dag, misschien op hetzelfde moment naar keken. De rest was zo goed als onbelangrijk. Onder de gevangenen had hij moordenaars zonder wroeging ontmoet en onschuldigen die al hun tijd doorbrachten met zichzelf te beschuldigen. Lafaards, helden die hun prestige waren kwijtgeraakt, mensen met zelfmoordplannen. Levensgenieters die, tot twintig jaar veroordeeld, droomden van maaltijden die een vrouw voor hen zou klaarmaken als ze uit het kamp kwamen. Zachtmoedige mensen, sadisten, schoften, bestrijders van onrecht. Denkers voor wie deze werkplek en stervensplek de uitkomst was van een verkeerd toegepaste humanistische theorie. Een pope die zei dat lijden een geschenk van God was zodat de mens boete kon doen en zichzelf kon verbeteren …

Dit kwam hem nu allemaal even onbeduidend voor. En als hij weer aan de wereld van vrije mensen dacht, vond hij het verschil met de ellende en de vreugden hier maar uiterst klein. Een gevangene genoot van drie kruimels thee die door een gelukkig toeval in zijn gedeukte kroes waren gevallen. In Leningrad nipte in de Opera (hij herinnerde zich *Rigoletto*) tijdens de pauze een vrouw met hetzelfde genoegen aan een glas champagne. Ook hun lijden was gelijk. Zowel de gevangene als de vrouw had pijnlijke voeten. Zij door haar nauwe pumps die ze tijdens de voorstelling uitdeed. De gevangene door wat ze in het kamp aan schoeisel droegen: stukken autoband waar je je met lappen omwikkelde voeten in stak en die je met touwtjes vastbond. De toeschouwster in de Opera wist dat er ergens op deze wereld miljoenen mensen waren gemaakt tot uitgemergelde beesten, wier gezichten donker waren gekleurd door de poolwind. Maar dat verhinderde haar niet te midden van grote glanzende spiegels haar glas leeg te drinken. De gevangene wist dat haar aangename en luisterrijke leven kalm voortkabbelde, maar dat bedierf niet zijn vreugde om op een paar kruimels thee te kunnen kauwen ...

Er waren momenten dat de pijn erger werd, waardoor de dingen nog maar vaag tot hem doordrongen: de dorst riep bij hem de voorstelling op van een gevangene met zijn kroes thee, van een vrouw die uit een langwerpig glas een bruisend drankje opzoog.

Dus dat was allemaal van nog minder belang.

Het water was dichtbij, een brede stroom vlak naast zijn platgedrukte lichaam, en ook het ijs dat in de vorm van kleine stalagmieten onder de stammen zichtbaar was. Hij stak zijn hand uit, de inspanning deed de pijn toenemen, hij verloor het bewustzijn.

Aan het begin van de tweede dag begonnen er traag grote sneeuwvlokken neer te dwarrelen. Volski voelde de koelte van de kristallen op zijn kurkdroge lippen. En zag in zijn verbeelding opnieuw een winterse akker voor zich, een vrouw die haar ogen opsloeg naar een hemel vol dwarrelend wit.

Hij wist dat hij nog maar enkele uren te leven had en de bondigheid van zijn gedachten leek met dit korte tijdsbestek rekening te houden. De woorden van de pope schoten hem weer te binnen: het lijden waartoe God veroordeelt zodat de mens boete kan doen, zich kan louteren ... Een glimlach deed zijn droge lippen barsten. Dan zouden vele mensen intussen wel ontzettend gelouterd moeten zijn. In dit kamp, in dit door oorlog verwoeste land. Juist door de zuiveringen! Na alles wat de mensen te verduren hadden gekregen, zouden ze zo verlicht als heiligen moeten zijn! En toch was een gevangene na tien jaar lijden in staat iemand te doden voor een extra snee brood. God … Volski herinnerde zich de gespen van de koppelriemen die de Duitse soldaten droegen. GOTT MIT UNS, 'God is met ons' stond er op het stuk metaal. Die soldaten hadden ook veel geleden. Dus …

Hij keek omhoog: het begon donker te worden en in de wirwar van stammen boven zijn hoofd flonkerde een bleek, askleurig gesternte. Op dat moment zag een vrouw hetzelfde, want hij wist dat zij ook naar die hemel keek … Hij besefte dat zelfs God er niet meer toe deed zolang die twee blikken er waren. Althans de god van de mensen, die liefhebber van lijden en koppelriemen.

De dorst die hem kwelde veranderde in een brandend verlangen – de sterke behoefte tegen deze vrouw te zeggen dat zonder die blikken niets betekenis had.

In het donker, of misschien was het de duisternis van zijn bewusteloosheid, hoorde hij een heel zachte stem: iemand zong en vergat soms woorden waaraan hij de ander moest herinneren.

Dankzij die paar 'gezongen' woorden vonden ze Volski terug, legden de mannen uit die hem hadden gehoord. Het waren springstofspecialisten die met hun explosieven gekomen waren om de wal van stammen op te blazen die door het ijs was opgestuwd.

Het gezang dat in hem had geklonken, had hem in een ander leven doen belanden, dat geen verband hield met het snelle verstrijken van de dagen. De voortgang van de wereld kwam hem nog gejaagder voor, en zonder betekenis. Vanuit zijn bed in de ziekenbarak van het kamp, zag hij ijsschotsen voorbijsnellen die in de rivier rondtolden en in stukken braken. Licht en donker wisselden elkaar steeds sneller af. De gevangenen verzamelden zich op de appèlplaats, vertrokken naar hun werk en keerden terug. En zelfs als de bewakers hen, puur uit willekeur, urenlang in de regen lieten staan, was deze kwelling niet meer dan de belachelijke behoefte om kwaad te doen, om als onbeduidende beul hun macht te tonen. Spoedig stond ook hij weer in die rijen, op benen die vol blauwe plekken zaten. Vroeger zou hij ziedend zijn geworden over de willekeurige wreedheid van de bewakers. Nu zag hij slechts een wirwar van grillen, platte verlangens en laagheden. Onaangetast bleef de behoefte om tegen die mannen te zeggen wat hij in zijn graf van boomstammen en ijs had ingezien. Maar de woorden die daarvoor nodig waren behoorden tot een taal die hij nog nooit had gesproken.

Verborgen te midden van de rijen gevangenen die hun folteraars zacht vervloekten, richtte hij zijn blik omhoog en nam de wijk naar een leven waarvan hij zich vaag een voorstelling kon maken.

Zijn vrijlating leek niets aan dat andere leven te veranderen. De vrachtwagen die hem meenam reed door de poort

(VOORWAARTS, OP NAAR DE ZEGE VAN DE COMMUNISTI-
SCHE ARBEID! stond boven de ijzeren deurvleugels) en het
kamp verdween achter een door de herfst rossig gekleurde
heuvel. Een ruk aan het stuur, dacht Volski, en een hele wereld is weg als een klompje ijs dat smelt in een rivier. Een
angstaanjagende wereld vol ellende, wreedheid, hoop, gebe-
den en opeens, niets meer van dat al: een weg die glinstert
van de regen, een geringe plantengroei, zoals gebruikelijk in
een noorden dat in afwachting verkeert van de winter.

Hij leefde in een wereld waarin alles hem om het even
was. Vond werk op een rangeerterrein, nam zijn intrek in
de buurt, in een kamer waarvan de ramen uitkeken op de
spoorbanen. De mensen zagen in hem iemand die het midden hield tussen een wat simpele arbeider en een oud-gevan-
gene die zijn verleden graag wilde vergeten. Soms hielden
ze hem misschien ook voor een eenvoudige van geest. Dan
zagen ze hem midden tussen de met sneeuw bedekte rails
staan, alleen, met het hoofd achterover, terwijl hij met half
gesloten ogen een volkomen lege hemel afzocht.

Na maanden speurwerk vernam Volski dat Mila veroordeeld
was tot een straf die ze uitzat in een kamp. Maar waar? En
wat voor straf? 'Tien jaar dwangarbeid', antwoordde een
voormalig medewerkster van het museum ter herinnering
aan de blokkade met wie hij contact had weten te leggen.
Tien jaar. Hij maakte de rekensom, zag zich een afgrond van
vijf jaar wachten in hem openen, voelde geen wanhoop. Hij
wist dat elke dag de blik van Mila zich in die steeds winter-
ser hemel bij hem aansloot en dat op dat moment tijd niet
bestond.

... Twintig, dertig jaar later las Volski schriftelijke getuigenissen van oud-gevangenen. Sommigen hadden het over hun verwoeste leven, anderen vertelden hoe het hun gelukt was om 'het normale leven' weer op te pakken. Hij stelde toen voor zichzelf vast dat zíjn leven onaangetast was gebleven, maar dat de wereld geleidelijk was verdwenen.

Hij hoefde geen vijf jaar te wachten. Tweeënhalf jaar later stierf Stalin en Volski wist zeker dat hij in de drommen mensen die door de poorten van de kampen naar buiten stroomden Mila zou aantreffen.

Toen hij op een avond in april langs de spoorbaan lopend van zijn werk terugkeerde, zag hij al vanuit de verte dat er op een bankje onder de ramen van het huis waar hij woonde een vrouw zat. Hij hield zijn pas in, hoorde in zijn slapen een hard en dof tromgeroffel. Het haar van de vrouw was wit en van opzij gezien toonde haar gezicht diepe rimpels. Ruim zeven jaar kamp ... dacht hij en hij voelde een gewicht op zich drukken, zo zwaar dat het hem naar de grond duwde. Dat oud geworden gezicht van Mila was voor hem een laatste beproeving, misschien wel de zwaarste. En toch kwam die allerlaatste klap, die hem werd toegebracht door een god die er dol op was om mensen te laten lijden, hem kinderachtig en overbodig voor. Niets was in staat een leven aan te tasten dat weer tot bloei zou komen onder een hemel waarin hun blikken elkaar zo veel jaren hadden ontmoet.

Het verlangen om dat uit te spreken was zo sterk dat hij het op een hollen zette.

De vrouw draaide zich om. Het was Mila niet! Het was een veel oudere vrouw, een medegevangene die aan Mila had beloofd hem op te zoeken. Wat ze hem te vertellen had was in een paar zinnen gezegd. 'Tien jaar kamp zonder recht op briefverkeer', zo luidde het officiële vonnis. Weinig mensen wisten echter dat dit 'zonder recht op briefverkeer' betekende dat de veroordeelde na het vonnis werd doodgeschoten. Soms bleven er al die tien jaar van wachten brieven van familieleden komen …

Volski bleef zitten, met zijn ogen strak gericht op de gestalte van de vrouw, die wegliep terwijl ze van de ene op de andere dwarsligger sprong. Deze vrijgekomen gevangene, wat hij had moeten doen was haar tegenhouden, haar vragen stellen, haar thee aanbieden, haar onderdak verschaffen … Dat zou hij ook gedaan hebben, maar de wereld, die al zo weinig werkelijk meer was, vervaagde. Het enige wat overbleef waren de rails die onzichtbaar in het donker doorliepen, die vroeg oud geworden vrouw die spoedig in het niets zou verdwijnen, de woorden die ze zo-even had gesproken, de laatste woorden die hem nog interesseerden. Een lege wereld.

Hij stond op, keek naar de hemel. En voelde dat er op zijn lippen een stem tot klinken wilde komen die in staat was Mila te bereiken. Hij ademde diep in. Maar in plaats van een schreeuw werd slechts een langdurig gefluister hoorbaar waaraan door dorst een eind kwam. Een dodelijke dorst omdat hij niet wist hoe hij de vrouw van wie hij hield met woorden weer tot leven kon wekken.

V

Dezelfde dorst, denkt Sjoetov terwijl hij naar de oude man kijkt die met grote slokken van een kop koude thee drinkt.

'Neem me niet kwalijk, ik ben het niet meer gewend om te praten.' Volski glimlacht, zet zijn kop terug op het nachtkastje. Ze zwijgen en weten niet hoe ze dit nachtelijke verhaal moeten beëindigen. Tot ziens zeggen, afscheid nemen, gaan slapen? Sjoetov beseft dat hij zojuist een wereld is binnengetreden waarin liegen onmogelijk is, niet met gebaren en niet met woorden. Hij staart naar het donker aan de andere kant van het raam: een korte duisternis in het holst van een zomernacht in noordelijke streken. Op het scherm van de televisie waarvan het geluid uitstaat, zien we de stoet staatshoofden die een eetzaal binnengaat voor een banket ...

De oude man had amper een uur gesproken. Over zijn jeugd, de dode stad als gevolg van de blokkade, de oorlog, het kamp. En zelfs over de dwarrelende bloesemblaadjes van een wilde kersenboom, langgeleden op een avond in het voorjaar.

Zijn verhaal werd gehinderd door de vrees om over te bekende feiten te spreken, om in herhaling te vervallen. Een paar keer verduidelijkte hij: 'Nu is dat allemaal bekend.' En je bespeurde bij hem de angst zijn levensgeschiedenis te plaatsen tegenover de grote familiekronieken die het onderwerp al uitvoerig hadden behandeld. 'Weet u, anderen hadden niet het geluk dat ik had.' Ja, anderen, die tijdens de blokkade van honger stierven, die omkwamen in de strijd, die in de ijzige kou van de kampen door bevriezing het leven lieten.

Sjoetov wendt het hoofd af, zo nietszeggend komen hem de woorden voor die hij zou kunnen uitspreken. Op het scherm een luchtfoto van Londen, een reportage over de nieuwe Russische elite met als titel *Moskou aan de Theems* ...

'Mijn geval heeft niets uitzonderlijks', zei de oude man nog. Sjoetov dacht erover na: dat klopt, in zijn jeugd hoorde hij soms al spreken over zulke verwoeste levens. Miljoenen zielen in stukken gescheurd door prikkeldraad. De kampen namen een twintigste deel van het enorm uitgestrekte Rusland in beslag, tien keer het oppervlak van Groot-Brittannië waarvan de groene weiden op het scherm voorbijtrokken. In dat niets verdwijnen, zo'n lot was geen zeldzaamheid, de oude Volski heeft gelijk.

Een stem komt in Sjoetov in opstand: toch niet, dat levensverhaal dat hem werd toevertrouwd is uniek en met niets te vergelijken, want ... Hij stelt zich een vrouw voor te midden van barakken, met rondom wachttorens, en ook een man die schuilgaat in een rij gevangenen. Allebei kijken ze omhoog, volgen ze de trage wolken, voelen ze de koude streling van sneeuwvlokken op hun voorhoofd. Ze zijn duizenden kilometers van elkaar gescheiden. En toch voelen ze zich heel erg met elkaar verbonden, zo dichtbij als het wolkje damp van hun ademhaling reikt.

Sjoetov weet nu wat hij Volski moet vragen: en daarna, probeerde hij in de hemel de blik te ontmoeten van de vrouw van wie hij hield?

Hij aarzelt, stamelt: 'En daarna? ...' alsof hij wilde weten hoe het verhaal afloopt, alsof de aanwezigheid van de oude man in dit kamertje niet al een einde was.

Volski drinkt nog een slok, vervolgens prevelt hij met een veel minder gespannen stem: 'Daarna ... sprak ik bijna nooit meer en de mensen namen aan dat ik stom was. Het leek alsof ik dood, in ieder geval niet in hun wereld aanwezig was.'

Dat niet aanwezig zijn hield een leven in dat werd bepaald door schemerlicht en ijzige kou in een Siberisch dorpje, de plek waar hij was terechtgekomen. En door bezigheden die hem herinnerden aan zijn werk als gevangene. En door sterkedrank, het enige wat een vrij gevoel en afleiding schonk, hem en vele anderen. Hij zweeg, omdat hij intussen wist dat je heel goed kon leven zonder te spreken en dat de mensen alleen maar behoefte hadden aan zijn kracht, zijn berusting, ja, precies, hij hoefde alleen maar niet aanwezig te zijn.

Slechts één keer verbrak hij zijn stilzwijgen. Hij werkte in een werkplaats waar de zijschotten van wagons gerepareerd werden, de opzichter schold hem uit, maakte hem uit voor vuile bajesklant. Volski sloeg hem neer en siste boven de man die op de grond lag: 'U mag van mij het wapen voor ons duel kiezen, sir!'

De politieofficier die hem verhoorde was jong, heel zelfverzekerd. Hij leek (het was Volski meteen opgevallen) op de onderzoeksofficier die hem naar het kamp had gestuurd. Hetzelfde blonde haar, hetzelfde te ruime uniform voor een zo tenger lichaam. Ook was er een laag raampje dat uitkeek op een besneeuwde straat ...

Volski hield op met antwoord geven, verblind door een waarheid die opeens de wereld verhelderde, een wereld waarvan hij geprobeerd had de botte wreedheid te begrijpen. Dat was het dus: een zich herhalende werveling, een rondedans van mensen in dezelfde rolverdeling, dezelfde gezichten, steeds dezelfde omstandigheden. En steeds dezelfde neiging om aan het meest waarachtige, het diepste bij de mens voorbij te gaan. De sneeuw, een vrouw die haar blik op de hemel richt ...

'Volgens de verklaring van de opzichter', zei de officier, 'deed u anti-Russische uitspraken op het moment dat u hem lichamelijk letsel toebracht ...'

Volski glimlachte, staarde naar dat jonge gezicht dat zijn best deed om een strenge uitdrukking te krijgen en zweeg. De wereld die hem zojuist haar krankzinnige basisregels had onthuld, interesseerde hem niet meer. Een dwaze draaimolen, dacht hij. Dezelfde gezichten, dezelfde houten dieren die steeds sneller in de rondte gaan. Een paar jaar na de oorlog en zijn miljoenen doden werd er al een nieuwe bom getest (dat had hij in een krant gelezen) die nog meer slachtoffers kon maken. Drie jaar na de dood van Stalin werd verklaard dat alle mensen die hij had afgeslacht bij vergissing, gewoon door een onjuiste uitleg van de leer waren vermoord. En nu was er dat blonde officiertje dat zich opwond, schreeuwde, met zijn vuist op tafel sloeg en ongetwijfeld de gevangene zou gaan slaan die voor hem zat. 'En daarna zal de neus van dat blonde knulletje gaan bloeden en zal ik hem voorstellen wat sneeuw op te rapen, dat zal hij doen en even zal hij weer menselijk worden ...'

Volski besefte dat hij dit hardop zei en dat de officier met halfopen mond en wijd opengesperde ogen naar hem luisterde. 'U zult het zien, een beetje sneeuw en het bloeden houdt op ...' Toen schoot hij heftig in de lach, wat bijna

pijn deed, want omdat zijn polsen op zijn rug zaten vastge-
bonden, verwrong hij elke keer dat hij moest schateren zijn
schouders. 'Een treurig circus! Een groot treurig circus!' riep
hij uit, verbaasd over de eenvoud van de woorden die zo
goed de waanzin van de wereld vertolkten.

Hij bracht iets minder dan een jaar in een psychiatrische inrichting door. Omdat hij zweeg was hij voor het personeel
een gemakkelijke patiënt, een schim, een afwezige. Hoewel
het een armzalig, vervallen gebouw was, vond hij het er niet
naargeestig. En de patiënten die het bevolkten, weerspie-
gelden als een vreemdsoortig psychisch vergrootglas slechts
de wanorde en de obsessies van de buitenwereld. Een man
met een bijna blauw gezicht, zo mager was hij, verborg zich
voortdurend achter zijn handen die hij als een scherm ophield, een komisch schild dat hem beschermde tegen de beulen met wie hij in het verleden te maken had gehad. Anderen
vormden hun bed om tot een slakkenhuis waar ze haast nooit
uit kwamen, het hoofd tussen de schouders getrokken. Een
oud-schouwburgdirecteur beschuldigde en verdedigde zich
voortdurend, waarbij hij tegelijkertijd de onderzoeksrechter
en de ondervraagde nadeed. Een oude man bracht zijn dagen door met het kijken naar de druppels die van het dak
vielen als de sneeuw smolt. Zijn gezicht straalde. Er was ook
een man die geestelijk volkomen gezond was, een bejaarde
Litouwer met wie Volski vriendschap sloot. Deze man had
het besluit genomen hier zijn toevlucht te zoeken om aan
vervolging te ontkomen. Hij vertelde heel kalm over zijn leven, beschreef de plekken waar hij had gewoond. Maar telkens als Volski hem probeerde uit te leggen dat Stalin dood

was en dat hij nu uit de inrichting weg kon, werd de Litouwer wantrouwend en vroeg hij met een schorre stem: 'Waarom liegt u? Ik weet heel goed dat hij nooit dood zal gaan!'

Gekken, ja, dacht Volski. Vervolgens herinnerde hij zich wat hij tijdens de blokkade, in de oorlog, in het kamp had meegemaakt. En de waanzin van de patiënten kwam hem veel normaler voor dan de maatschappij die hen gevangen had gezet.

De arts die was belast met de jaarlijkse inspectie bleek in Leningrad geboren te zijn. Volski sprak langdurig met hem: een reeks straten, kanalen, schouwburgen, herinneringen aan een stad die ze al jaren niet meer hadden teruggezien. 'Klamp u vast aan iets tastbaars', raadde hij Volski aan terwijl hij diens ontslagbrief ondertekende. 'Maar verzin vooral een plan, een droom. Droom bijvoorbeeld dat u ooit naar Leningrad terugkeert.'

Hij volgde de raad van de arts in zekere zin op. Volgens de toenmalige wetten moest de woonplaats van een ex-gevangene minstens honderd kilometer van een grote stad verwijderd liggen. Volski vestigde zich in een dorp ten noorden van Leningrad, niet ver, dacht hij, van de vroegere slagvelden.

Het plaatsje begroette hem met het lawaai van motoren: een in de modder vastgelopen auto, een stuk kabel, een tractor die de gestrande mensen te hulp probeerde te komen. Volski raapte een armvol takken uit de berm op en gooide die voor de wielen van de auto. Iets tastbaars, dacht hij terwijl hij wegliep, een mooi plan voor een gek die ze net hebben laten gaan.

Twee dagen later werd Volski in dezelfde straat tot tranen

toe bewogen. Op de modderige weg liep een colonne kinderen, hij bleef staan en begreep opeens om wat voor kinderen het ging. Na de moordpartijen onder Stalin en het verlies aan mensenlevens door de oorlog waren weeskinderen in die jaren te talrijk om nog verbazing te wekken. Maar de weeskinderen die hij zag hadden zich niet mogen vertonen: het waren de treurige gevallen die men gewoonlijk verborgen hield. Lichamelijk, geestelijk gehandicapte, blinde kinderen … Door de oorlog kapotgemaakt of in een kampbarak ter wereld gekomen. Te zwak om naar een heropvoedingskamp gestuurd te worden, te beschadigd om er in een gewoon weeshuis goede kleine arbeiders van te maken.

De colonne kwam maar langzaam, met horten en stoten vooruit. De kinderen klampten zich aan elkaar vast, sommigen vielen, werden door hun begeleider opgebeurd zoals je een zak optilt. De natte sneeuw had de weg die ze gewoonlijk volgden waarschijnlijk onbegaanbaar gemaakt en daar zouden ze niet te zien zijn geweest. Nu moesten ze dus over de hoofdweg, die door het dorp liep … Ze verdwenen al in de grauwe winterse avondschemering. Helemaal achteraan zag Volski een meisje dat heel erg mank liep, bij elke stap van haar misvormde been diep wegzakte en met een plotselinge schok weer omhoog kwam. Toen hij haar zag moest hij op zijn lippen bijten om niet in snikken uit te barsten.

Dezelfde avond vond hij hun weeshuis: een oud gebouw, opgetrokken uit bijna zwarte bakstenen, dat door middel van multiplex wanden in afgescheiden ruimtes was verdeeld, die deels als slaapzaal, deels als groepsverblijf dienstdeden. Ongeveer zoals in onze barakken in het kamp, dacht Volski.

De volgende dag kwam hij terug om zijn diensten aan te

bieden. Als opvoeder of als surveillant? Hij had geen idee wat voor begeleiding de kinderen kregen aangeboden. Hij werd meteen aangenomen, want ze kregen domweg niets aangeboden. De kinderen werden hier voorlopig geparkeerd. De zwaksten gingen dood. Anderen werden als geestelijk gestoord beschouwd en wachtten tot ze naar een gesticht voor volwassenen gestuurd zouden worden.

Boos worden, eisen stellen was zinloos: het personeel bestond uit twee bejaarde medewerksters en één surveillant die liep te pronken met de stomp van een arm die hij in de oorlog was kwijtgeraakt. De directrice, een timide vrouwtje, legde in verlegenheid gebracht uit: 'We weten niet wie er nu over wie waakt, wij over de kinderen of de kinderen over ons ...'

Toen hij de eerste dag de grote ruimte betrad waar alle kinderen bij elkaar waren, observeerde Volski ze onopvallend, probeerde hij elk gezichtje, elk persoontje als uniek te zien. En opeens, als bij ingeving, begon hij te neuriën, eerst gewoon als een binnensmonds gebrom, daarna luider, zodat hij het lawaai, het gehuil overstemde. Het deuntje werd aarzelend overgenomen, eerst bewogen de hoofden op het ritme mee, daarna zag je de lichamen zachtjes heen en weer wiegen. Een klein meisje met de lange kerf van een litteken in haar gezicht kwam naar hem toe en reikte hem een scherf van rood glas aan, ongetwijfeld haar grootste schat.

Hij schonk hun alles wat híj had – zijn stem. Leerde hun een beetje zingen, liedjes die ze gemakkelijk konden onthouden, melodietjes waarvan het ritme weer wat leven bracht in die door ziektes en verwondingen verstijfde lichaampjes.

Ze moesten de tekst opschrijven en zonder dat ze het in de gaten hadden, krabbelden de kinderen hun eerste woordjes, maakten ze een begin met lezen. Schoolboeken waren er niet en tastenderwijs zette Volski deze manier van lesgeven, die geheel nieuw voor hem was, voort. Hij kwam op het idee om hen door middel van bewegingen en gebarentaal te laten uitbeelden wat een liedje vertelde: het verschijnen van een ruiter onder de ramen van zijn geboortehuis, de ontvangst die zijn moeder en zijn geliefde hem bereidden … Zo zouden de kinderen, veroordeeld tot een bestaan in de schaduw, kennismaken met een leven waarin het mogelijk was de toekomst te veranderen, waarin er naar hen geluisterd, van hen gehouden zou worden. Waarin zij van iemand zouden houden.

Ook hijzelf leerde veel, die eerste maanden. Onder de ongeveer dertig kinderen die het weeshuis bevolkten, zag hij gezichten die hem deden denken aan de kinderen van Mila. Een roodharige jongen die een mooie welluidende stem had leek een beetje op Mandarijntje, maar zonder dat hij diens energie en levensblijheid had. De vergelijking deed pijn en toch wist Volski zo de verwarrende absurditeit van de wereld de baas te worden. Ja, je kon de trieste logica ervan het hoofd bieden. Zoals dat roodharige knulletje dat nu voor de anderen stond en zong over de tocht van een ruiter dwars door een sneeuwstorm.

Liedjes hadden het over 'de grote blauwe zee' en Volski vertelde wat hem van zeeën en oceanen bekend was. In een lied kwam een bojaar voor en hij stapte in de rol van geschiedenisleraar, speelde voor zijn leerlingen de taferelen die tot het Russische verleden behoorden, nu eens als prins, dan weer als lijfeigene.

Hij vertelde hun ook over de musketiers, deed gevechten na, beeldde optochten uit, bootste het suizen van een degen na die door de lucht zwiepte, zwaaide met een opgevouwen krant – de waaier van een schone vrouw die in haar kasteel voor een raam zat … Voor die kinderen was het hun eerste reis naar het buitenland, iets onvoorstelbaars in dat land dat opgesloten lag achter zijn ijzeren gordijn.

Op een avond zong hij het liedje van D'Artagnan …

Vanaf die dag werden zijn gedachten beheerst door een plan dat hem niet meer losliet: de weeskinderen in een stuk laten spelen, wat voor handicap ze ook hadden. Hij verdeelde de rollen, herinnerde zich de vele figuranten in de voorstellingen die ze tijdens de blokkade gaven en verzon er personages bij, schreef aanvullende korte scènes, zodat iedereen met een paar zinnetjes of een liedje aan de beurt zou komen.

Wat hij voor ogen had zou vaak ver af staan van de vroegere operette. De stemmen waren zwak, de kinderen raakten snel buiten adem. Sommigen hadden moeite met lopen. De kostuums die de medewerksters van allerlei lappen naaiden, misten ten enenmale de luister van echte toneelkostuums. Maar de vindingrijkheid van de toneelspelertjes maakte alles mooier. Een met ijzerdraad omwikkelde glasscherf werd een diadeem, oude laarzen vol gaten werden, verhoogd met karton, tot lieslaarzen omgevormd … Het spel deed de kinderen vergeten hoe hun lichaam eraan toe was. Het meisje dat Volski op de modderige weg had zien hinken speelde Marie, en als vanzelf verborg ze haar mank lopen door zich met grappige sprongetjes te verplaatsen.

Na zo'n tien repetities drong de ware betekenis tot hem door van wat aanvankelijk eenvoudig vermaak leek. Op het toneel vergaten zijn leerlingen hun ellende. Maar bovenal leidden ze er een leven dat niemand hun kon afpakken. Ze hoefden maar een paar minuten te spelen of ieder van hen ontsnapte aan een wereld die eigenlijk had gewild dat ze helemaal niet bestonden.

Hun eerste publiek werd gevormd door vijf personen: de twee medewerksters, de surveillant, de directrice en Volski. Tijdens een van de volgende voorstellingen kwam daar de chauffeur bij die één keer in de maand kolen bracht. Vervolgens een verkoopster van een naburige bakkerswinkel. Enkele wijkbewoners en hun vrienden ... Sommigen zochten het vermaak dat men in dat treurige dorp miste. Bij anderen bespeurde men de nieuwsgierigheid naar een optreden zoals nog nooit eerder was vertoond: dat gehandicapte grut dat toneelspeelde!

Op een dag in mei werd het stuk opgevoerd voor heel andere toeschouwers. De dag ervoor had de directrice Volski met een toonloze stem meegedeeld dat ze 'verklikt' waren, dat er in de stad gesproken werd over een schouwspel dat niet door de beugel kon en dat het Partijcomité iemand voor een inspectie zou sturen. Toen hij haar van angst vertrokken gezicht zag, besefte Volski dat de drie jaar die sinds de dood van Stalin waren verstreken nog niets voorstelden, dat er misschien wel dertig jaar nodig was om haar gelaatstrekken hun spanning te laten verliezen, om ervoor te zorgen dat de vrouw niet meer bij elk woord zou gaan beven.

De inspectrice van de Partij trad het zaaltje binnen en ging als een zware pilaar in het midden staan. Een groot, log lichaam, een breed dik gezicht, een stem die geoefend was in het geven van bevelen. 'Begin!' zei ze tegen Volski zonder hem gegroet te hebben, en met een kinbeweging nodigde ze haar gevolg, twee vrouwen en een man, uit om op de eerste rij plaats te nemen.

Dezelfde mallemolen, dacht Volski, dezelfde koppen die je ziet verschijnen en die dezelfde ongegronde boosaardigheid van de wereld uitdrukken. Deze inspectrice met de kop van een waakhond en die andere, de vrouw die indertijd een les van Mila had bijgewoond ... Wat hem verbaasde was niet zozeer de herhaling van het hele gebeuren, hij kende de absurde gang van zaken. Maar de welbewuste gemeenheid van dit bezoek, ja, het kwaad dat willens en wetens werd aangericht.

Met een minachtende trek om de mond keek de vrouw naar het podium en af en toe verwijdden haar neusgaten zich alsof de verklede kinderen stonken. Ze speelden overigens buitengewoon goed omdat ze doorhadden dat het om een bijzondere voorstelling ging. Waarvan zal ze me straks beschuldigen? vroeg Volski zich af, die zag welke gezichten de inspectrice af en toe trok. Een stuk dat niet overeenstemt met de ideologische voorschriften? De afwezigheid van opvoedkundig belang? Het ontbreken van klassebewustzijn? Hij maakte zich niet bezorgd want hij wist dat de kinderen onwetend zouden blijven van dat voorspelbare oordeel. Hij had het zo geregeld dat de surveillant hen meteen na afloop voor een wandeling zou meenemen. Later zou hij hun dan vertellen dat hun spel heel erg in de smaak was gevallen, maar dat ze ook andere liedjes zouden moeten leren …

Hij had zich het vervolg van de gebeurtenissen voorgesteld zoals het onder Stalin toeging: een loodzware stilte bij de handhavers van het recht, het vonnis, de straf. Maar de tijden waren veranderd, voortaan bedachten ze andere dingen, gingen ze vernieuwend te werk …

Opeens zwaaide de vrouw met haar armen en haar geschreeuw deed alle aanwezigen opschrikken: 'Hou op met dat circus, zo is het wel genoeg! Niet alleen laten jullie die kinderen flauwe onzin spelen die totaal niet past bij ons klassebewustzijn, maar … maar …'

De kinderen hielden op met spelen, de volwassenen die om de inspectrice heen stonden wachtten onderdanig het slot van de uitbarsting af. 'Maar … maar …', ze zocht duidelijk naar een fraaier argument om haar beschuldiging mee te onderbouwen.

'Maar … jullie hebben jullie leerlingen niet eens geleerd zich op het toneel behoorlijk te bewegen. Ze lopen allemaal als houten marionetten! Vooral die jongen daar, de musketier zullen we maar zeggen. Is dat een slaapwandelaar of hoe zit dat? Jullie hadden hem toch kunnen uitleggen hoe een militair dient te lopen!'

Ze draaide zich om naar Volski. Het werd stil. Op het toneel bleef de roodharige jongen die D'Artagnan speelde kaarsrecht staan, met zijn blik gericht op iets in de verte, over de hoofden van zijn vrienden heen.

'Die jongen is geen slaapwandelaar, kameraad inspectrice. Hij is … blind.'

Iedereen verstijfde. Volski wilde nog meer zeggen, maar hij bedacht zich. Onmogelijk een idee te geven van de maandenlange repetities waar de roodharige jongen met koppig geduld had geleerd om te gaan met het donker op het toneel. Stap voor stap had de jongeman de plaats van elke speler onthouden, zich ingeprent in welke richting hij zijn zinnetjes moest zeggen, hij had zich het stuk eigen gemaakt als een bewegend schilderij dat in hem leefde. Maar weinig toeschouwers merkten op dat hij blind was. Meestal had men het gevoel dat hij zijn Marietje heel goed zag als zij door een grote kartonnen poort naar buiten kwam en op hem af rende.

De inspectrice snoot luidruchtig haar neus in een vierkante lap met streepjes, kuchte, snoot nog eens haar neus, daarna boog ze het hoofd, stamelde 'Ik ben zo terug ...' en verliet het zaaltje.

Volski gaf de kinderen een teken, het spel werd hervat ... Liedjes, gevechten met blauwgeverfde houten degens omdat ze geen zilverkleurige verf hadden, de flakkerende vlam van een kaars op de tafel waaraan Marie een brief schreef ... De inspectrice kwam stilletjes weer binnen en ging op een stoel bij de deur zitten.

'Aan jou, mijn teerbeminde, zal ik mijn droom toevertrouwen ...' zong de roodharige jongen.

Tijdens zijn lange leven zou Volski met tientallen weeshuizen, ziekenhuizen, heropvoedingskampen kennismaken. Hij leerde mensen die bang waren hun mond open te doen en wier lichaam zich slechts de grofheid van geweld herinnerde, zingend te spreken en gebarentaal te gebruiken: in de steek gelaten kinderen, gehandicapten, criminele jongeren. Hij leerde hun vooral zich elders te wanen dan in de wereld die zijn bestaan dankte aan de gemene wreedheid van de mensen ... Een van zijn eerste leerlingen, de roodharige jongen, zou hem een keer vertellen dat hij bij het zingen van het lied van D'Artagnan over een 'zomerhemel waarin sterren bewegen' daadwerkelijk sterrenbeelden zag, althans zich kon voorstellen hoe ze eruitzagen.

Volski had gedaan zoals Mila hem de dag dat ze werden gearresteerd gevraagd had: hij probeerde te leven zonder om te kijken naar hun verleden, trouwde, kreeg een zoon. Met een heldere blik hield hij zichzelf voor dat dat leven vrij dicht in de buurt kwam van wat je geluk kon noemen en hij stond zichzelf niet toe meer te wensen. Het alledaagse van dat leven voorkwam ook dat hij het vergeleek met wat hij met Mila had meegemaakt.

In de periode van ontspanning na het Stalintijdperk maakte zijn werk hem een poosje bijna beroemd: de kranten hadden het over zijn 'vernieuwende educatieve werkwijze', er werd zelfs een boek aan hem gewijd. Hij kreeg een baan bij een onderzoeksinstituut aangeboden. Hij wees het aanbod af, bleef voor afgelegen plekken kiezen, voor instellingen waar hij zich echt nuttig voelde. Zijn vrouw kreeg ten slotte genoeg van zijn omzwervingen, ze scheidden. Toen zijn zoon ouder werd, distantieerde die zich ook van hem en pas veel later kwam Volski te weten dat hij in Duitsland was gaan wonen ...

Toen de Sovjet-Unie uiteenviel werkte Volski in Centraal-Azië en zat hij al in een rolstoel. 'Een heel bos is op me gevallen', vertelde hij de artsen schertsend om uit te leggen hoe hij, toen hij nog heel jong was, door een piramide van cederhouten stammen was bedolven. Hij zei er niet bij dat dit in een kamp was gebeurd. Voor de nieuwe generaties ging het al om een verleden dat nog slechts uit verhalen bestond ... Net als de archieven uit de tijd van de repressie die toen opengingen en die Volski in Moskou kon inzien. Daar bevond zich het juridisch dossier van Mila, vergeelde bladzijden met de verhoren die men had afgenomen. Het lezen van die verklaringen leerde hem dat ze er alles aan had gedaan om hem vrij te pleiten, dat zij de beschuldigingen op zich had genomen die hem ten laste werden gelegd. Dus wat me gered heeft, was niet de bloedneus van die jonge officier, stelde hij vast en dit offer waardoor hij in leven was gebleven herinnerde hem er opnieuw aan dat het kwaad op deze wereld door toedoen van één mens een nederlaag kon worden toegebracht.

Een jaar later hielp een van zijn oud-leerlingen hem om naar Leningrad terug te keren en vond dit kamertje voor hem in een gemeenschappelijke flat.

Volski voelde zich niet ongelukkig, alleen maar een beetje ingehaald door de snelle veranderingen.

Op een dag lieten zijn buren hem weten dat er een grote verhuizing ophanden was, een ingewikkelde woningruil waardoor ieder een eigen flatje in de voorstad kreeg. Hij doorgrondde niet alle slimmigheden die achter de opzet schuilgingen. Het enige was dat hij nu goed geklede mensen zag die door het huis liepen, over vierkante meters en uit te voeren werkzaamheden spraken, berekeningen in dollars maakten. Onder de mensen die verschenen bevond zich vaak een blonde vrouw die het had over merken van tegels, badkuipen en meubels. Ze noemden haar Jana. Volski luisterde graag naar haar stem. Misschien kon hij haar ooit zijn levensverhaal vertellen ...

Op een avond ving hij een gesprek op dat aan de andere kant van zijn kamerdeur werd gevoerd. Jana discussieerde met een paar mensen nogal vinnig over een verhuizing die maar op zich liet wachten. Opeens kreeg Volski door dat ze het over hem hadden. 'Luister, wees realistisch', zei Jana, die duidelijk probeerde de gemoederen te kalmeren. 'De oude man is hier, daar kunnen we niets aan veranderen. Natuurlijk zou het ons goed uitkomen als hij deze wereld intussen verliet, maar laten we met beide benen op de grond blijven staan, hoe doof en bedlegerig hij ook is, hij kan wel honderd worden. Ik stel jullie een heel redelijke oplossing voor ...'

Volski luisterde niet verder en vanaf die dag antwoordde hij nergens meer op. De mensen hielden hem voor doofstom. Hij stelde vast dat dit niet veel veranderde aan de verhouding met degenen die in de flat rondliepen. Misschien werd hun houding zelfs minder huichelachtig.

Nu herinnerde Sjoetov het zich weer. In zijn jeugd had hij de naam Volski weleens gehoord. Dertig jaar geleden. Artikelen die het hadden over een leraar die in staat was door middel van toneelspel gehandicapte kinderen en ontspoorde jongeren nieuwe hoop te geven. In de periode van censuur was dit soort onderwerpen voor journalisten het enige gebied waarop ze vrij waren: een zonderling die eerbetoon en een mooie carrière afwijst, dat is al een voorzichtige opstand tegen het logge beton van het regime ...

De oude man drinkt zijn koude thee. De televisie, waarvan het geluid uitstaat, vertoont clips waarin blonde meisjes en jonge zwarten nu eens met een hooghartige, dan weer met een zinnelijke gelaatsuitdrukking staan te heupwiegen. Nachtprogramma. Het schijnsel van een lamp die aan het hoofdeinde van het bed is bevestigd, een donker raam, een bijna leeg vertrek. Over een paar uur komen verplegers om de oude man mee te nemen. Dat is dus echt het einde van dit nachtelijke verhaal.

Sjoetov wil nog heel graag weten wat er gedurende al die jaren is geworden van de hemel waar de blikken van de twee geliefden elkaar ontmoetten. Maar het is te laat om het te vragen, het leven van Volski werd één met het geblutste verleden van het land: oorlogen, kampen, de enorme kwetsbaarheid van elke band tussen twee personen. Een heldhaftig leven, een leven vol opoffering. Van iemand die Sjoetov had kunnen tegenkomen, omdat hij zelf zijn kindertijd in een weeshuis had doorgebracht. Ja, Volski had mijn zangleraar kunnen zijn, bedenkt hij.

'Weet u, ik neem het uw vriendin Jana niet kwalijk', zegt de oude man en hij zet zijn kop terug op het nachtkastje. 'Ook anderen niet. Het bestaan dat zij leiden is beslist niet benijdenswaardig. Stel u voor, ze moeten dit alles maar de baas kunnen!'

Zijn hand maakte een weidse beweging en Sjoetov ziet duidelijk dat dat 'dit alles' de nieuwe flat van Jana omvat, maar ook de televisie met zijn grote scherm én de reportage over de Russische elite die zich in Londen heeft gevestigd, hun privéhuizen en hun buitenverblijven, én de cocktailparty waarbij ze elkaar ontmoeten en onder elkaar kunnen zijn, en heel die nieuwe levensstijl die Sjoetov maar niet kan begrijpen.

'Eigenlijk hebben wij een heel zorgeloos leven gehad!' zegt de oude man. 'We bezaten niets en toch lukte het ons om gelukkig te zijn. Tussen het fluiten van twee kogels door, in zekere zin ...' Hij glimlacht en voegt er spottend aan toe: 'Nee, kijk die arme mensen toch eens, kijk hoe ze lijden!' Je ziet een ontvangst in een Londens luxehotel, de verkrampte grijns van de vrouwen, de glimmende gezichten van de mannen. 'Wij keken net zo als we op het conservatorium gedwongen werden te luisteren naar een zangstuk ter ere van Stalin ...' Hij lacht zachtjes en zijn hand maakt nog eens dezelfde beweging: dit alles. Op een heel lichamelijke manier voelt Sjoetov dat de aldus aangeduide wereld vlak, plat en in elk onderdeel precies hetzelfde is. Ja, een vervlakte wereld.

'Als u hem uit zou willen zetten ...' vraagt Volski. Sjoetov pakt de afstandsbediening, drukt verkeerd (op het scherm verschijnt een oude tram die stil voorbij rijdt en in een straat verdwijnt), ten slotte vindt hij de knop om hem uit te zetten.

Het gezicht van Volski krijgt weer dezelfde uitdrukking als aan het begin van de avond: kalm, ontspannen, misschien zelfs nog wat afweziger. Sjoetov verwacht niet dat het verhaal nog verder zal gaan. Alles is gezegd, hij hoeft alleen nog maar welterusten te wensen en een paar uur te gaan slapen voor Vlad en de verplegers komen.

De stem die plotseling weerklinkt treft hem door haar vastberadenheid.

'Ik ben altijd haar blik blijven ontmoeten. Ook nadat ik had gehoord dat ze dood was ... Niemand kon me beletten te geloven dat ze me zag. Ook vannacht weet ik dat ze nog steeds naar de hemel kijkt. En niemand – hoort u? – niemand zal dat durven ontkennen!'

De stem is zo krachtig dat Sjoetov overeind schiet. Het is de stem van een vroegere zanger of misschien van een artillerist die te midden van explosies bevelen roept. Sjoetov gaat weer zitten, geeft met een korte beweging aan dat hij iets wil zeggen, maar blijft stil. De trekken van Volski ontspannen zich, hij laat zijn oogleden iets zakken. Zijn handen liggen roerloos naast zijn lichaam. Sjoetov beseft dat niet die wilskrachtige stem hem heeft doen opspringen. De woorden van de oude man schoten in deze vervlakte wereld zo welluidend opwaarts dat ze het plafond van het kamertje leken op te tillen.

Als zeer zwakke echo van deze uitroep, klinkt een gefluister dat spijt uitdrukt en waarbij Volski veeleer tot zichzelf spreekt: 'Jammer dat ik de Loekhta nooit meer heb teruggezien ... De oever waarop we ons laatste concert hebben gegeven ... De bomen die ik samen met Mila heb geplant ...

Vooruit, slaap lekker, maak u niet ongerust, ik red me heel goed alleen ...'

Hij pakt de schakelaar van de lamp boven zijn hoofd. Sjoetov staat op en begeeft zich naar de deur. Hij loopt langzaam, alsof hij zijn vertrek wilde uitstellen, naar een allerlaatste woord zocht dat hij nog te zeggen had maar dat hij vergeten was.

'Wacht, één momentje!' brengt hij ten slotte uit en hij holt naar het kantoor van Vlad. Naast de telefoon de lijst met nuttige nummers die de jongeman toen hij vertrok voor hem heeft achtergelaten: ambulance, politie, taxi ... Sjoetov belt, bestelt een taxi, rent terug naar de kamer van Volski en zet hem verward, terwijl hij zich verontschuldigt, zijn plan uiteen. De oude man glimlacht: 'Ik ben dol op avonturen, maar dan zou ik een rokkostuum aan moeten. Daar, op het haakje achter de deur, hangen een windjekker en een broek ...'

Sjoetov vraagt de chauffeur boven te komen om hem te helpen 'een zieke' te dragen, zegt hij om het eenvoudig te houden. Vanaf dat moment geeft de man, jong, met een flinke speknek, blijk van zijn ongenoegen. Als hij hoort dat het niet gaat om gewoon een retourtje ziekenhuis maar om een verre rit, buiten de stad, vertikt hij het: 'Nee, ik maak geen toeristische rondritten! Dan moet u maar een minibusje huren ...' Sjoetov dringt onhandig aan, beseft dat ook de gewone omgangstaal anders is geworden en dat zijn argumenten (een oud-soldaat die terug wil naar de plekken waar hij heeft gevochten) een welhaast surrealistische indruk moeten maken.

'Hoe dan ook, er is geen tarief voor zulke tripjes, en dat ook nog eens midden in de nacht ...' De chauffeur draait zich om naar de deur om aan te geven dat hij op het punt staat weer te vertrekken. Sjoetov kan hem wel schieten, die diknek, die kogelronde vetkop met stekeltjeshaar, die nors kijkt en weet dat je toch niets tegen hem kunt beginnen.

'Ik betaal wat u vraagt, zeg me hoeveel u wilt hebben, dan worden we het misschien wel eens.'

'Maar ik zeg u, daar is geen tarief voor. En dan zullen we ook nog met ... opa moeten rondsjouwen.'

'Honderd dollar, is dat genoeg?'

'Maakt u soms een grapje? Voor zo'n afstand ...'

'Honderdvijftig?'

'Goed, denk erover na en bel me volgende week, akkoord?'

Hij draait zich om, trekt de deur open, Sjoetov haalt hem in op het portaal, onderhandelt, geeft hem ten slotte drie briefjes van honderd. Op het gezicht van de man neemt hij een nogal kinderlijke uitdrukking waar die een combinatie te zien geeft van het genoegen een onnozelaar te hebben afgezet, verbazing en de trots van wat ben ik toch een kei. Geld heeft nog niet een duidelijk vastgestelde waarde in dit nieuwe land, het is een beetje roulette spelen, en hij heeft gewonnen.

Eerst rijdt hij nogal langzaam, waarschijnlijk bang dat hij op een patrouille zal stuiten. Maar eenmaal buiten de stad, raast hij voort zonder op ook nog maar één kruispunt acht te slaan. Je merkt dat hij plezier begint te krijgen in het uitstapje. Sjoetov draait het raampje omlaag: eentonige buitenwijken trekken voorbij, een slapende stad met af en toe, in de enorme vlakken van de voorgevels, een verlicht raam, felgeel, iemand die nog wakker is.

Eindelijk, als de klap van een zwiepende tak, de geur van

gras, de nachtelijke pittige geur van gebladerte. De auto verlaat de grote weg, hobbelt over slecht geasfalteerde zijweggetjes. Twee, drie keer probeert de oude man de precieze richting aan te geven, maar de chauffeur antwoordt: 'Nee, dat kan niet, dat dorp bestaat niet meer ... Nee, daar is nu een winkelcentrum ...' Zijn stem is anders gaan klinken, hij antwoordt Volski verder op enigszins beschaamde toon ...

En plotseling remt hij, zelf verrast door een versperring die de weg afsluit.

Daarachter rijst een heuse muur op van minstens vier meter hoog. In het schijnsel van de koplampen glanst een bronzen plaat die op een rechtopstaande steen is gemonteerd. Rijkelijk versierde letters bootsen het gotisch schrift na: RÉSIDENCE PALATINE. ALLEEN TOEGANKELIJK VOOR EIGENAREN. De chauffeur stapt uit, Sjoetov volgt hem op de voet. Aan de andere kant van een monumentaal smeedijzeren hek zijn de omtrekken van 'paleizen' te zien die worden verlicht door schijnwerpers die op het bouwterrein staan. Een bouwkraan werpt de schaduw van zijn takelhaak op een muur. Onder een boom staat een bulldozer geparkeerd. Hokjes op elke hoek van de muur doen aan uitkijkposten denken ...

De gelijkenis ontgaat Volski niet. 'Het lijkt wel een gevangenis', fluistert hij als de beide mannen weer in de auto plaatsnemen.

'Wat doen we?' vraagt de chauffeur. 'Proberen we eromheen te rijden?' En zonder de mening van Sjoetov en Volski af te wachten rijdt hij weg. De uitdaging aannemen is voor hem een erezaak geworden. De auto loopt bijna meteen vast in de modder en Sjoetov opent het portier al op een kier, klaar om uit te stappen en te duwen. 'We komen er wel uit!'

bromt de chauffeur, die aan het stuur rukt alsof hij met blote handen een stier aan het bevechten is. Een langdurig loeiend gebrul van de motor, zwaar slippende banden, ten slotte schiet de auto los en vliegt als een kanonskogel vooruit.

Daarna gaat het langzamer en horen ze, flink door elkaar geschud op een onverharde weg, hoog onkruid langs de zijkanten van de auto schuren. In de lucht voel je steeds sterker de koelte van een rivier. De lichtbundels van de koplampen stuiten op een wilgenbosje. Ze dalen een helling af. Ze stoppen. De koplampen worden gedoofd, de ogen wennen snel aan het donker van de heldere noordelijke nacht. De stilte is zo intens dat de oren het geringste geritsel waarnemen. Het ruisen van de langwerpige wilgenblaadjes, het slaapverwekkende gekabbel van het water, zo nu en dan de korte schreeuw van een vogel in vlucht ...

De chauffeur helpt Sjoetov om Volski beneden aan de waterkant te laten plaatsnemen op de dikke stam van een omgehakte boom, waarvan het ontschorste hout zichtbaar is als een witte streep in het donker. De beide mannen verwijderen zich een eindje, ze hoeven niet eens te overleggen.

Ze ademen diep in, verbaasd over de sterk prikkelende lucht, over de rust die er heerst, eigenlijk heel dicht bij de drukte van de feestende stad. Rechts van hen tekent zich tegen de bleekgrijze hemel de muur rond de Résidence Palatine af (Excelsior, Trianon ... herinnert Sjoetov zich). Op de oever aan de overkant zijn vaag groepjes bomen te zien, gescheiden door lange lanen. De bomen die Volski en Mila hadden geplant, denkt hij, het kerkhof ... De hemel is vol doorzichtige wolken, af en toe fonkelt er een ster, vlakbij, levendig.

De chauffeur zit op een boomstronk en mompelt wat voor zich uit. Hij draait zijn pols om in het donker op de verlichte wijzerplaat van zijn horloge te kijken. 'We gaan zo …' stelt Sjoetov hem gerust. 'Welnee, laat hij maar de tijd nemen, de oude man! Ik heb 's nachts toch niet zo veel werk …' Zijn stem klinkt nu steeds alsof hij zich schuldig voelt. 'Heeft hij in de oorlog echt hier gevochten?' Sjoetov fluistert alsof iemand hem kon horen: ja, de blokkade van Leningrad, het laatste concert van een muziekgezelschap, daarna … die oude man, indertijd een jonge soldaat die een kanon de bevroren hoge oever op duwde, de oorlog, Berlijn. Hij beseft dat hij van nu af aan de enige ter wereld is die de levensgeschiedenis van Volski zo goed kent …

Hij onderbreekt zichzelf als hij van de kant van de rivier een stem hoort. Het gezang moet al even geklonken hebben, maar viel samen met het ruisen van de wilgen, het geritsel van het gras. Nu klinkt zijn lied boven de stilte uit, met moeiteloze overgangen van hoog naar laag, als een heel lange en diepe zucht. De chauffeur staat als eerste op, met zijn gezicht naar de richting waar de klanken vandaan komen. Sjoetov gaat eveneens staan, doet een paar stappen in de richting van de oever, houdt weer halt. Het gezang geeft aan alles wat hij ziet een betekenis die een vergeten verleden verbindt met een nieuw begin: de aarde, overdekt met doden en toch grond die zich gemakkelijk laat bewerken, die in het voorjaar vol leven zit, de ruïne van een oud sparrenhouten hutje, het licht dat er werd gebracht door degenen die onder zijn dak woonden en er elkaar liefhadden … En die hemel die licht begint te worden en die als hij hem nog eens te zien krijgt voor Sjoetov nooit meer hetzelfde zal zijn als voorheen.

De terugtocht lijkt maar even te duren, is in een mum van tijd voorbij. Alsof de ochtendlijke straten, allemaal verlaten, oplosten in het voorbijrijden.

En in de flat zet die versnelling zich nog heftiger voort. De oude man is net terug in zijn kamer als Vlad thuiskomt en de chauffeur die het huis verlaat tegen het lijf loopt. De voordeur slaat achter hem dicht, Sjoetov draait zich om en ziet in de marmeren hand, 'de hand van Slava' op het pronktafeltje, drie biljetten van honderd dollar liggen …

En daar bellen de verplegers al aan, en blokkeren de gang met hun rolstoel. Sjoetov sluipt de kamer van Volski binnen in de hoop hem nog te kunnen spreken, hem nog te kunnen zeggen dat zijn relaas … Ze drukken elkaar de hand. Daar zijn de verplegers al, Vlad is er ook bij, ze gaan aan het werk, stoppen de boeken van de oude man in een tas … De ogen van Volski lachen voor het laatst tegen Sjoetov, daarna verstrakt zijn gezicht tot een uitdrukkingsloos masker, voorgoed.

Bij de voordeur drommen de vrienden van Vlad samen die van de partij zullen zijn op het feest in het buitenhuis van Jana. De arbeiders laten de beide verplegers die de oude man meenemen passeren en beginnen met waterleidingbuizen te sjouwen. Een werkster trekt een stofzuiger mee, duikt het kamertje in dat eindelijk vrij is. Een paar mobieltjes laten hun beltoon horen, de gesprekken komen op gang, vermengen zich …

Sjoetov drinkt in de keuken een kop thee en vraagt zich af wat hij nog te zoeken heeft in het tumult om hem heen. 'Mama heeft net gebeld', roept Vlad. 'Ze is hier over tien minuten. Ze doet u de groeten …' Iemand heeft de televisie

aangezet: 'Om op tijd daar te zijn waar elk moment telt ...'
'Hebt u misschien een sigaret voor me?' vraagt een heel jonge
vrouw hem en opeens kan hij geen woord meer uitbrengen,
hij stamelt, gebaart. Ze lacht en loopt weg.

Ten slotte valt met verblindende helderheid het oordeel:
het zal me nooit lukken in dit nieuwe leven te aarden.

Vijf minuten zijn genoeg om zijn spullen bij elkaar te pakken, naar de voordeur te sluipen zonder door Vlad te worden
tegengehouden, ervandoor te gaan ...

Op het vliegveld wisselt hij moeiteloos zijn vliegticket om.
'De mensen die voor het feest zijn gekomen zijn er nog,' legt
men hem uit, 'de mensen die vanwege de festiviteiten niet
zijn gekomen, komen morgen ...' Hij heeft dus een goed
moment gekozen, een moment dat als het ware alles stilligt.

In het vliegtuig heeft hij voor het eerst in zijn leven het gevoel dat hij van nergens naar nergens gaat, of veeleer dat
hij reist zonder echte bestemming. En toch heeft hij zich
nog nooit zo innig met zijn geboortegrond verbonden gevoeld. Daargelaten dat dat vaderland niet samenvalt met een
grondgebied maar met een tijdsperiode. Die waarin Volski
leefde. Dat afschuwelijke Sovjettijdperk dat de enige periode
is die Sjoetov in Rusland heeft meegemaakt. Ja, een afschuwelijk, schandalig, moorddadig tijdperk, waarin een man
elke dag opkeek naar de hemel.

Bij zijn terugkeer treft hij een brief van Léa aan in woorden die zich lijken te richten tot iemand anders dan hij. Ze bedankt hem, laat hem weten dat hij de twee stapels boeken mag houden omdat zij ze niet meer nodig heeft en haalt, hij weet niet waarom, Tsjechov aan: van een verhaal moet je het eind schrappen, dat gewoonlijk te lang is. Hij beseft hoezeer die mislukte reis hem veranderd heeft: hij begrijpt deze met een leuk vrouwelijk handschrift geschreven tekens niet meer. Of veeleer: hij begrijpt niet meer waarom iemand zo veel nutteloze, of onoprechte, of nietszeggende woorden schrijft. Het lukt hem nog wel de psychologische spelletjes te doorzien die achter de zinnen schuilgaan. Bedankjes: Léa probeert de wrok weg te nemen van de man die ze verlaten heeft. Die boeken: een sentimenteel aandenken, want zij vindt hem een sentimentele oude man. Die verwijzing naar Tsjechov: ja, zonder omhaal schrappen en het contact niet weer aanhalen.

Dat is allemaal nog te begrijpen. Maar het leven waarover die woorden spreken is de inkt niet waard die nodig is om ze op te schrijven. Dat leven past nog net bij de romans die Léa in een hoek van het vertrek heeft achtergelaten, boeken waarin dat nauwelijks ernstig te nemen woordmateriaal een bergplaatsje heeft gevonden. 'Kaboutergedoe' noemde ze het vroeger. Ja, haar leven in het 'duivenhok' was een spel met poppetjes in de hoofdrol, een van die romannetjes die van jaar tot jaar de minidramaatjes beschrijven van een paar cynische, ietwat verveelde dames en heren.

Hij weet van nu af aan dat de enige woorden die het waard zijn om te worden opgeschreven zich aandienen als spreken onmogelijk is. Zoals in het geval van die man en die vrouw, gescheiden door duizenden kilometers ijs, wier blikken elkaar ontmoetten terwijl de sneeuw traag neerdwarrelde. Zoals bij die roodharige jongen die verstard blijft staan, met zijn blinde ogen gericht op sterren die hij nooit heeft kunnen zien.

De eerste dagen na zijn reis haalt Sjoetov zich, ogenblik na ogenblik, weer voor de geest wat beslist verteld zou moeten worden. Volski, natuurlijk, maar ook die winteravond in een café, Café de la Gare, de eenzaamheid van een oude man die voor zich uit mompelt.

Bij aankomst haalde hij een pakje uit zijn brievenbus: een boek waarvan hij wist hoe de titel luidde. *Na haar leven* … Hij herinnerde zich de vrouw die in een smalle gang liep en met een doekje haar schmink verwijderde, maar daarbij de indruk wekte dat ze haar tranen droogde.

Na haar leven … Hoe zal míjn leven er van nu af aan uitzien, denkt hij.

Er doet zich ook iets verrassends voor: op een avond herleest hij het verhaal van Tsjechov waarin twee deugdzame geliefden, verbonden door een aarzelende liefdesverklaring, in een grote slee zigzaggend een helling afdalen. Hij ontdekt dat de intrige heel anders in zijn herinnering bewaard is gebleven. Nee, bij Tsjechov doen de twee geliefden hun spelletje waarbij ze van een besneeuwde helling naar beneden glijden nooit meer over. De oud geworden man komt zijn vroegere

vriendin weer tegen en vraagt zich af welke gril hem indertijd heeft ingegeven om 'ik hou van je, Nadenka' te fluisteren. Het verhaal is getiteld 'Een grapje', een gekkigheidje,
in het Russisch *sjoetotsjka*, van dezelfde stam als Sjoetov ...
Hij stelt zich Tsjechov voor, in een ondergesneeuwde datsja
of op Capri in de zon, met een pen in de hand, een onbe-
stemde, vriendelijke glimlach om de mond, terwijl zijn licht
bijziende ogen op een stuk papier het ontstaan volgen van
twee hoofdpersonen die in een slee zitten ... Sjoetov voelt
plotseling met kracht dat hij nooit deel zal uitmaken van de
Russische wereld die nu in zijn vaderland bezig is tot bloei te
komen (Des te beter! denkt hij). Hij zal tot het eind met een
verleden verbonden blijven waarop trouwens steeds meer zal
worden neergekeken en dat steeds meer een onbekend terrein zal worden. Een tijdperk waarvan hij weet dat het met
geen goed woord te verdedigen valt en waarin niettemin een
paar mensen leefden die hoe dan ook niet vergeten mogen
worden.

Half september keert hij terug naar Rusland. Het tehuis waar Volski naartoe was gestuurd ligt niet ver van Vyborg, honderdvijftig kilometer ten noorden van Sint-Petersburg. Sjoetov hoorde toen hij vanuit Frankrijk belde met de chefarts van de instelling al dat de oude man was overleden.

Dat 'Tehuis voor ouden van dagen' zoals het officieel wordt aangeduid, is niet het crepeerhok dat hij zich voorstelde. Alles is er gewoon van een andere tijd: de patiënten, het personeel, het gebouw zelf. Het Sovjettijdperk, denkt Sjoetov en hij beseft dat het misschien juist de armzalige overblijfselen uit die periode zijn die de bejaarden de illusie schenken niet helemaal aan de kant te zijn gezet. Ze sterven in een omgeving die hun hun hele leven vertrouwd is geweest.

Wat hem het meest verbaast is het kerkhof. Vooral het aantal graven dat als enig opschrift nu eens o.v., dan weer o.m. heeft. 'Onbekende vrouw', 'onbekende man', legt de bewaker uit. 'Soms worden ze in zo'n toestand naar het tehuis gebracht dat ze niet eens meer kunnen praten. En dan zijn er ook bejaarden die op straat overlijden, probeer maar eens na te gaan waar zij vandaan komen …'

Het kerkhof is klein, met ernaast een lege kerk. Terwijl hij de met onkruid overwoekerde trap op loopt, kun je in de verte het doffe grijs van de Finse Golf zien … 's Avonds brengt Sjoetov tussen de grafstenen waarop goudgele bladeren liggen lange tijd door om de vreemde, oude voornamen te lezen. Daarna gaat hij op de trap zitten. Zijn nieuwe reis naar Rusland, denkt hij, is precies dat laatste stuk van een verhaal dat Tsjechov aanraadde te schrappen. En daar ligt ook de grens tussen een leuke ontknoping in mooi proza en het almaar doorgaande en rauwe proza dat wordt gevormd door onze levens.

Het verwarrendste blijft de manier om een mensenleven aldus samen te vatten: 'onbekende vrouw', 'onbekende man' ... Morgen komen de arbeiders met wie hij iets geregeld heeft om een steen op het graf van Volski te plaatsen met zijn volledige naam, zijn geboorte- en zijn sterfdatum. Dat moest gebeuren, houdt Sjoetov zichzelf voor ('het laatste stuk' ...), maar tegelijkertijd: zal dat opschrift de mensen meer informatie geven dan de vermelding 'onbekende man'? Misschien zelfs minder.

Hij staat op, begeeft zich naar de uitgang en blijft opeens staan. Dat is nu precies waarover geschreven zou moeten worden: over die 'onbekende vrouwen' en die 'onbekende mannen' die van elkaar hielden, maar wier verhaal nooit verteld is.

Terwijl hij over de weg loopt die naar het tehuis voert, neemt hij van de Finse Golf niet meer waar dan een nevelige streep.

Nog nooit zag hij in één blik zo veel hemel.

Verantwoording

Voor de parafrase van het verhaal van Tsjechov en verdere (aangepaste) citaten werd door de vertaler gebruikgemaakt van: Anton P. Tsjechov, *Verzamelde werken*, deel II, Verhalen 1885-1886, Uitgeverij G.A. van Oorschot, Amsterdam 2005.

Andreï Makine bij De Geus

Het Franse testament
Tijdens de lange Russische winters vertelt een grootmoeder aan haar kleinzoon verhalen over het mythische Frankrijk uit haar jeugd. Later beseft de jongeman dat het echte Frankrijk anders is dan het 'Atlantis' dat hij in gedachten koestert.
Prix Goncourt en Prix Médicis 1995.

Olga – de dochter van een held van de Sovjet-Unie
Tijdens de Olympische Spelen in Moskou in 1980 is Olga, dochter van een Russische oorlogsheld, tolk voor de buitenlandse atleten. Als ze met een van hen een relatie begint, roept de KGB de jonge vrouw op het matje: door haar gedrag besmeurt ze de eer van haar familie én van het vaderland. Olga heeft geen keus: alleen door voor de KGB te gaan werken, kan ze haar carrière redden.

Bekentenis van een afvallige vaandeldrager
Zoals zo veel jongeren sluiten twee vrienden zich na de Tweede Wereldoorlog vol idealisme aan bij een jongerenbeweging. Makine wisselt het verhaal over hun padvinderachtige belevenissen af met anekdotes over het oorlogsverleden van hun ouders. Als de oorlog met Afghanistan zich aandient, dreigt de geschiedenis zich te herhalen.

Een Siberische lente

Het leven van drie jongens die in een dorpje aan de rivier de Amoer wonen wordt door de toenemende invloed van het Westen uit balans gebracht. Eerst is er de Trans-Siberië Expres, en vervolgens zet een film met Jean-Paul Belmondo de jongens aan het denken over de hoop, de vrijheid en een wereld bevolkt met de meest fantastische vrouwen.

Ook verschenen onder de titel *De rivier de Amoer*

De misdaad van Olga Arbélina

Nadat haar man haar verlaten heeft, verruilt de Russische prinses Arbélina haar moederland voor Frankrijk. Diep teleurgesteld in de liefde wijdt ze haar leven aan haar zoon, die aan hemofilie lijdt. Als de jongen veertien is, ontdekt ze dat hij regelmatig een slaapmiddel in haar thee doet om haar in haar slaap te verleiden. Een man die hen bespiedt zoekt toenadering. Ten einde raad nodigt Olga Arbélina hem uit voor een boottochtje, dat fataal voor hem afloopt. De prinses wordt beschuldigd van moord.

Requiem voor Rusland

In een terugblik op de twintigste eeuw vertelt de hoofdpersoon, voormalig informant bij de Russische geheime dienst, over het leven van zijn vader en grootvader – en dat van hemzelf.

De muziek van een leven
Vlak voor zijn eerste concert wordt Berg, een jonge pianist, gewaarschuwd dat zijn ouders door Stalins geheime politie zijn gearresteerd. Berg vlucht naar familie in de Oekraïne. Als de oorlog met Duitsland uitbreekt en de eerste soldaten sneuvelen, zoekt hij een 'dode dubbelganger' wiens identiteit hij kan aannemen. Zijn carrière als pianist is in de knop gebroken.

De aarde en de hemel van Jacques Dorme
Een eenzame jongen groeit op in een Russisch weeshuis. Gelukkig heeft hij Alexandra, een Franse vriendin van zijn overleden ouders, die hem opvangt en hem de Franse taal en cultuur leert. Alexandra vertelt over haar verdwenen liefde Jacques Dorme, met wie zij in 1942 een stormachtige relatie beleefde. Jaren later gaat de inmiddels volwassen geworden jongen op zoek naar Jacques Dorme, die voor hem een held en een vaderfiguur is geworden.

De vrouw die wachtte
Een jonge student vertrekt uit Leningrad om onderzoek te doen op het platteland. Daar ontmoet hij Vera. Haar verloofde is tijdens de Tweede Wereldoorlog naar het front vertrokken en nooit teruggekomen. Nu, dertig jaar later, wacht Vera nog steeds. Langzaam raakt de jongen in de ban van de geheimzinnige Vera.

Menselijke liefde

Een angstaanjagende nacht, diep in de noordelijke bossen van Angola. Elias Almeida, een Angolese revolutionair, zit opgesloten in een lemen hutje, gevangengehouden door de soldaten van de verzetsbeweging Unita. Hij put ondanks al zijn teleurstellingen kracht uit de herinnering aan de mooie ogen van de Russische Anna, zijn grote en onbereikbare liefde.